1001

activités

avec mon enfant

GYMBOREE Play & MUSiC ®

1001
activités
avec mon enfant

Auteurs
Susan Elisabeth Davis and Nancy Wilson Hall
Conseillers
Dr. Roni Cohen Leiderman and Dr. Wendy Masi
Illustratrice
Christine Coirault

Traduction : Anne Berton et Anne-Marie Naboudet-Martin

sommaire

Préface

Bienvenue dans le monde des jeux d'enfants !
Tous les enfants jouent, et c'est en jouant que les parents
tissent naturellement des liens avec leur bébé puis
leur petit enfant, et ce partout dans le monde. Il ne s'agit
pas seulement de se rapprocher de lui ou de s'amuser ;
le jeu est aussi l'un des meilleurs moyens d'accroître
sa motricité, de développer son imagination, de l'inciter
à apprendre, et de lui donner confiance en lui.

Votre nouveau-né adorera les chatouilles
sur le ventre, les jeux de cache-cache, les chansons
improvisées et les bulles de savon. Quand il sera
un peu plus grand, écoutez-le parler, chanter,
rire et observez-le s'émerveiller à chaque instant.
Encore quelques mois et votre enfant commencera
à raconter des histoires complexes, à acquérir
une véritable maîtrise de son corps, à faire
preuve d'un sens de l'humour étonnant
tout en vous réclamant toujours
des câlins à la fin d'une journée
bien remplie.

La plupart des activités présentées dans ce livre viennent des programmes Gymboree bien connus. Cela signifie que des milliers d'enfants dans le monde entier ont testé et approuvé leurs apports ludiques et pédagogiques. Laissez votre imagination s'envoler… aménagez nos idées, laissez-vous guider par votre enfant, et créez ensemble vos propres aventures. En stimulant l'esprit de votre enfant et en profitant ensemble de ces moments de complicité, vous enrichissez son potentiel et vous vous forgez des souvenirs qui dureront toute une vie.

Dr. Roni Cohen Leiderman

Dr. Wendy Masi

0+ Dès la naissance

Points de repère

À chaque instant de la journée, votre nouveau-né reçoit des informations sur le monde qui l'entoure.

- Sa distraction favorite : votre visage ! Souriez-lui et bientôt il vous répondra.

- Il aime fixer des objets en mouvement et les suivre des yeux.

- Les autres sont un facteur essentiel à son développement. Un nouveau-né vous voit comme une extension de lui-même et aime vous avoir à proximité.

Les nouveau-nés sont fascinants ; leurs sens se développent, ils sont très réceptifs à ce que vous faites, et ils font leur première expérience du monde. À cet âge, jouer correspond plus à des moments de plaisir, de rapprochement et de confiance qu'à des activités interactives. Pendant ces trois premiers mois, vous pouvez aussi aider votre bébé à développer ses muscles et ses capacités sensorielles. Prenez votre temps et laissez-le prendre le sien pour ne pas trop le stimuler.

1 l'apaiser par des battements de cœur

Des scientifiques ont montré que les nouveau-nés apprécient d'entendre les battements d'un cœur humain, son dont ils avaient l'habitude quand ils étaient dans l'utérus. Pour réconforter bébé, allongez-vous en le posant sur votre poitrine, peau à peau. Ou bien asseyez-vous et laissez sa tête reposer contre le côté gauche de votre poitrine, là où, d'après le psychologue Lee Salk, se placent la plupart des bébés *in utero*. Vous verrez que le son et la sensation de votre cœur qui bat peuvent apaiser votre nouveau-né.

2 le regarder dans les yeux

Vous créez un lien avec bébé par le contact visuel, ce qui lui apprend aussi à parler sans mots.

3 jouer avec son reflet dans la glace

Les tout-petits sont fascinés par les visages, surtout par ceux d'autres enfants. Laissez bébé se contempler un moment dans un miroir. Il ne saura pas qui lui renvoie son regard avant d'avoir entre douze et quinze mois, mais il aimera ce qu'il voit.

4 se laisser guider par son bébé

Le regard attentif d'un tout-petit est un véritable enchantement, en partie parce qu'il est le signe évident de son intelligence et de sa réactivité. Mais l'esprit des tout-petits n'est en éveil qu'une demi-heure environ de suite, et peut facilement être trop stimulé si on lui impose beaucoup d'activités. Comment savoir si bébé en a assez ? Soyez à son écoute. Il détourne peut-être la tête, ou bien il commence à pleurer, ou à bâiller. Si vous respectez ses besoins d'espace ou de communication, il saura lui-même distinguer quand il a besoin de s'arrêter. En conséquence, il sera plus confiant pour appréhender sa place dans le monde, et l'effet qu'il y produit.

5 s'allonger sous un arbre

Votre nouveau-né pourra avec vous regarder danser l'ombre et la lumière, sentir la brise sur sa peau et écouter le léger bruissement des feuilles.

6 en promenade

Une promenade dans la nature, en poussette ou en porte-bébé, aura un effet apaisant (et fascinant !) sur la plupart des bébés. Et le plein air fait aussi des merveilles sur les jeunes parents…

7 lui faire découvrir des textures différentes

Caressez le corps de bébé avec de grands carrés de tissu, velours, fausse fourrure, satin… Quand il pourra attraper des objets, il se saisira des carrés et les frottera entre ses doigts (attention : les carrés doivent mesurer au moins 15 cm de côté pour éviter tout risque d'étouffement). Vers l'âge de six mois, il en choisira peut-être un comme doudou.

8 faire plaisir par un sourire

Souriez à bébé. Cet acte simple lui donne le sentiment d'être important et lui montre que vous l'aimez. Quand il vous sourira à son tour, vous aussi vous vous sentirez aimé(e).

9 produire des sons étranges

Bébé adore vous entendre parler et rire. Vous pouvez stimuler son développement auditif en émettant toutes sortes de sons étranges. Gloussez comme un perroquet, imitez le bruit d'un Klaxon ou dites « bonjour, bonjour ! » d'une voix haut perchée. Ça l'amusera et, un jour, il vous surprendra en émettant lui-même des sons bizarres.

10 l'habiller comme soi

Dès que vous aurez ramené votre tout-petit à la maison, les gens bien intentionnés vous diront comment l'habiller. On vous recommandera souvent de le couvrir davantage. Mais une couche trop épaisse de vêtements peut se révéler dangereuse. Si les nouveau-nés ont besoin d'être bien couverts parce qu'ils ne peuvent pas réguler leur température, après le premier mois, le corps de bébé est capable de conserver la chaleur. Voici une règle simple : regardez la façon dont vous êtes habillé, et faites pareil pour votre bébé, en prévoyant simplement une couche supplémentaire s'il vient de naître. Après le premier mois, bébé n'a pas besoin de porter plus de vêtements que vous (sauf si vous transpirez après avoir fait de l'exercice, ou après une autre activité).

11 *imiter bébé*

Quand bébé essaie de vous imiter, cela montre que vous êtes son premier professeur, le plus important. Imaginez alors à quel point il se sentira flatté si vous imitez ses gazouillis, ses petits « arreuhs » et ses sourires un peu tordus. C'est un moyen merveilleux de lui donner le sentiment d'être quelqu'un d'important.

12 *lui parler souvent*

Bébé fait très attention au son de votre voix et aux expressions de votre visage, et il a besoin des deux pour apprendre à parler. Parlez-lui doucement pour le calmer et, à d'autres moments, parlez rapidement avec une intonation montante et de nombreuses mimiques : vous verrez ses yeux s'agrandir et sa petite tête tressaillir d'excitation.

13 *à bicyclette...*

Faire pédaler bébé l'aide à prendre davantage conscience de son corps. Cela renforce également ses muscles abdominaux et lui fait comprendre l'idée de mouvements alternatifs (une jambe après l'autre), qu'il lui faudra maîtriser pour ramper. Vous apprécierez aussi ces moments de face-à-face.

14 *jouer sur une couverture...*

Étalez une couverture moelleuse et allongez bébé sur le ventre. Il pourra s'étirer, lever la tête et agiter les mains.

15 *faire le tour de son corps*

Ces petites chatouilles aident bébé à prendre conscience de son corps.
Tout autour de tes petits pieds
Avec vos doigts, faites le tour des pieds de bébé,
L'oiseau chante avec gaieté
tapotez-lui légèrement les pieds.
Tout autour de tes jolis yeux
Avec vos doigts, faites le tour de sa tête,
L'oiseau chante, tout heureux
Embrassez-lui le front.

16 *redécouvrir des airs connus*

Les nouveau-nés apprécient la musique qu'ils ont entendue quand ils étaient encore dans le ventre de leur mère : Bach, les Beatles ou l'interprétation inspirée d'*À la claire fontaine* par le grand frère. L'esprit de bébé sera stimulé par cette musique familière, qui l'aidera à sentir que son nouveau monde est sûr et intéressant.

 Gardez sous la main deux ou trois disques que bébé apprécie particulièrement et passez-les lui pour l'apaiser quand il est agité.

17 regarder par la fenêtre

Laissez votre enfant regarder tranquillement par la fenêtre. Le balancement léger des rideaux dans la brise, le va-et-vient des ombres, la vue des oiseaux au-dehors ainsi que leurs bruits l'émerveilleront, stimuleront sa vision et aiguiseront sa capacité à repérer la provenance des bruits.

18 quelques étirements...

Étirer les bras et les jambes de votre nouveau-né l'aide à quitter la position fœtale et à prendre conscience de ses membres. Tirez délicatement ses bras au-dessus de sa tête, l'un après l'autre, puis tirez lentement ses jambes vers le bas, l'une après l'autre, jusqu'à ce que les membres soient presque droits. Arrêtez-vous bien sûr si bébé n'apprécie pas ces étirements.

19 porter son bébé

Vous vous apercevrez rapidement que vos bras et votre poitrine sont l'endroit préféré de bébé. D'ailleurs, de nombreux bébés commencent à pleurer dès qu'on les pose. Ce besoin de contact physique et de mouvement rythmique est naturel ; c'est son instinct qui lui dit qu'il a besoin d'être près de quelqu'un pour être en sécurité. Accédez à son désir de contact en le portant contre vous, dans un porte-bébé ventral ou latéral. Une étude souvent citée des relations mère-enfant a révélé que des bébés de six semaines que l'on portait ainsi au moins trois heures par jour pleuraient moitié moins que les autres. Cela aide aussi bébé à développer les muscles nécessaires pour s'asseoir, se mettre debout et marcher, parce qu'il est dans une position debout ou semi-debout, qui renforce naturellement son cou et les muscles de son dos.

20 suivre la mesure

Danser avec bébé est une technique éprouvée pour l'aider à s'endormir ou à se calmer, grâce au léger balancement et au contact physique. Certains bébés aiment les berceuses, d'autres le rock. Quels que soient les goûts du vôtre, le serrer dans vos bras tout en esquissant quelques pas de danse est une excellente façon de vous rapprocher de lui. Plus tard, des souvenirs pleins de tendresse vous reviendront quand vous entendrez la musique sur laquelle vous avez dansé avec votre bébé.

21 tapoter le dos de bébé

Quand bébé est grognon, fatigué, tapotez-lui doucement le dos. Cela apaise les maux de ventre, peut lui faire oublier une activité trop importante autour de lui et le rassure simplement en lui montrant que vous êtes là.

22 vive les chatouilles !

Vous pouvez chatouiller votre bébé avec un plumeau propre pour l'aider à prendre conscience des limites de son corps. Continuez à le « dépoussiérer », et, vers trois mois, il éclatera de rire chaque fois que vous lui présenterez ce jouet.

23 transformer le change en jeu

Donnez à bébé une couche propre, et reprenez-la avec un « merci » enjoué. Puis chantez « Elles montent, elles montent, les petites fesses » et « Elle vient, elle vient, la couche toute propre », sur l'air de votre choix, tout en le changeant. De même qu'un rituel de coucher peut l'aider à bien dormir, un rituel bien rodé peut encourager la coopération au moment du change.

 Installez plusieurs plans à langer chez vous pour pouvoir choisir le plus proche.

24 faire claquer ses lèvres

De légers bruits de baiser apaisent bien des bébés grognons. L'anthropologue Ashley Montagu écrivait dans son livre *La Peau et le Toucher* : « L'enfant associe les sons et les lèvres qui les produisent à des moments de plaisir », à des baisers par exemple.

25 jouer avec des assiettes en carton

Servez-vous de l'attirance que bébé éprouve envers les visages pour lui apprendre à suivre les objets du regard, c'est-à-dire à déplacer en même temps les yeux et la tête. Dessinez un visage souriant sur une assiette en carton ou sur un morceau de papier rond. Tenez le dessin à une distance de 20 à 40 cm de son visage, et déplacez-le lentement de gauche à droite.

26 écouter un carillon éolien

L'ouïe est le premier sens qui se développe complètement chez le nouveau-né (même les fœtus peuvent entendre dans l'utérus). Le carillon éolien stimule l'ouïe (sans parler de la vue), et bébé adorera l'écouter tintinnabuler tout en regardant son balancement.

27 voler comme l'avion

Prenez bébé sous le ventre, visage vers le bas. Beaucoup de tout-petits apprécient cette position quand ils ont mal au ventre ou qu'ils sont fatigués. Faites-le « voler » doucement, cela l'apaisera et l'amusera.

28 souffler doucement

Souffler doucement sur la peau de bébé accroît son sens du toucher. Soufflez-lui sur les doigts, sur le ventre et sur les orteils quand vous changez sa couche. Cela peut le distraire s'il s'impatiente au cours de la manœuvre ; peut-être même cela le fera-t-il sourire !

29 le toucher

Les très jeunes enfants ont besoin de la chaleur d'un autre être humain. Des chercheurs sud-africains ont observé récemment que les bébés qui étaient souvent en contact peau à peau avec leur mère se refroidissaient plus lentement et respiraient mieux que ceux qui passaient leurs premiers jours dans une couveuse.

30 souffler sur un moulin à vent

La rotation et les couleurs vives d'un moulin fascinent les bébés, même très jeunes et, vers trois mois, ils sourient devant cette roue qui tourne. Pour que bébé la voie bien, tenez-la à environ 60 cm de son visage et soufflez dessus. Mais ne la lui laissez pas, ses bords peuvent être coupants.

31 l'encourager à rêver

S'il est bon de stimuler bébé, n'oubliez pas qu'il a parfois besoin, comme les adultes, de se laisser aller à la rêverie. S'il contemple son mobile ou qu'il s'entraîne à lever et à baisser sa petite main, laissez-le profiter de ce moment de calme. Il n'apprend pas seulement à s'amuser tout seul, il accroît aussi sa capacité de concentration.

32 cligner des yeux

Fixez bébé et clignez rapidement des yeux. Cela peut le faire sourire, et lui donner quelque chose à imiter !

33 lui lire des histoires

Votre nouveau-né ne comprendra pas les histoires que vous lui lisez, mais, lové dans vos bras, il adorera écouter votre voix. Et les études montrent que les bébés auxquels on fait la lecture très tôt entendent plus de mots et maîtrisent un vocabulaire plus étendu par la suite.

34 câliner et bercer

Serrez bébé contre vous quand il est perturbé en l'enveloppant bien de vos bras. Bercez-le doucement tandis qu'il regarde par-dessus votre épaule. Ou bien placez sa tête sous votre menton pour qu'il ressente de légères vibrations quand vous parlez ou que vous fredonnez.

35 prononcer souvent son nom

Votre nouveau-né ne sait pas qui il est, il ignore qu'il est un individu doté d'un nom propre. Répétez-lui souvent son prénom d'une voix tendre. Cela l'aidera à apprendre qu'il est aimé, et aussi qu'il est unique.

 Souriez à bébé. Il apprendra à « lire » votre expression et répondra à votre bonne humeur par un sourire.

36 lui faire un massage

Un massage léger a un effet bénéfique sur les systèmes digestif et circulatoire immatures des très jeunes enfants. Choisissez un moment où vous êtes détendu(e) et où bébé est réceptif. Enlevez-lui ses vêtements. Enduisez vos mains d'une huile comestible naturelle et sans parfum (huile d'amande douce, de raisin ou d'olive). Massez délicatement ses bras, ses jambes, son dos et son ventre. Évitez les produits à base d'huiles minérales, qui peuvent laisser un film graisseux et obstruer les pores, ainsi que l'huile d'arachide, allergène.

37 lui faire des grimaces

Bébé n'avait que quelques heures quand il a commencé à imiter vos mimiques ; il a appris à reproduire l'expression de votre visage et à vous la renvoyer. Il adore regarder votre visage, surtout quand vous lui faites de grands sourires ou que vous écarquillez les yeux de surprise.

38 le laisser serrer vos doigts

Si vous lui caressez la paume de la main, votre tout-petit aura le réflexe de refermer ses petits doigts et de s'accrocher aux vôtres. Même s'il ne s'agit que d'un réflexe, cela favorise l'attachement et lui fait découvrir le plaisir du toucher.

39 suivre un poisson des yeux

Placez votre enfant devant un aquarium, dans un magasin, chez vous ou ailleurs. Il s'amusera à regarder les poissons nager ici et là, ce qui l'aidera à suivre des yeux des objets.

0+ mois

40 sentir une rose

Bébé est né avec un sens de l'odorat extrêmement développé. Tout de suite après la naissance, les tout-petits reconnaissent l'odeur de leur mère : ils trouvent le sein en partie grâce à l'odorat. Stimulez l'odorat de votre enfant en lui faisant respirer des odeurs agréables : des fleurs, des oranges, de l'extrait de vanille...

42 agiter des hochets

Quand bébé aura montré qu'il est capable de tenir des objets, il aimera agiter des hochets légers. La première fois, ce sera involontaire. Mais en entendant le bruit, il finira par comprendre que la cause (agiter le jouet) produit un certain effet (le bruit). Commencez avec des hochets légers, en plastique ou en tissu ; les hochets lourds sont trop difficiles à manier pour les bébés, qui peuvent se cogner la tête avec.

41 faire un tour en voiture

Beaucoup de bébés agités se calment et s'endorment lors d'un trajet en voiture. Parfois, il leur faut cinq minutes, parfois un quart d'heure, voire plus. Si la voiture apaise votre bébé, multipliez les sorties !

43 voyager avec des jouets

Certains jours, un grand sac plein de trésors sera le seul moyen d'éviter que bébé ne fasse une crise en voiture. Remplissez le sac de hochets, de petits livres et de jouets ; changez souvent le contenu pour avoir toujours une nouvelle distraction à portée de main.

44 nommer les parties du corps

Après le bain, apprenez à votre bébé comment s'appellent les parties de son corps : passez-lui un gant de toilette sur tout le corps en vous arrêtant pour nommer la partie à laquelle vous arrivez.

45 agiter des rubans

Encouragez l'intérêt croissant de bébé
pour les mouvements et les couleurs. Attachez
quelques rubans courts (environ 15 cm de long)
sur un bracelet ou sur un cintre. Faites voler
les rubans devant lui, en les laissant chatouiller
ses bras et ses jambes. En grandissant,
il essaiera d'attraper ces rubans magiques.

46 le fasciner avec un mobile

Vers l'âge de deux mois, les bébés
sont intrigués par les mobiles musicaux.
Les petits jouets colorés qui tournent
et les mélodies apaisantes stimulent
à la fois la vue et l'ouïe. Amusez
votre enfant en suspendant un mobile
au-dessus de son lit ou de la table
à langer. Pour que bébé ne se prenne
jamais dans les ficelles du mobile,
installez-le à une distance d'au moins
un bras d'adulte.

47 se balancer ensemble

Le balancement paisible d'un hamac détend
les bébés et stimule leur système vestibulaire
– le mécanisme par lequel le corps garde
l'équilibre et régule les mouvements dans l'espace.
Si votre hamac est en corde tressée, recouvrez-le
d'une serviette épaisse pour que la tête et le dos
de bébé reposent confortablement et pour que
ses mains et ses pieds ne risquent pas
de se prendre dans les mailles. Ne laissez pas
bébé seul, et ne vous endormez pas avec lui
dans le hamac : s'il roule vers vous, il ne sera
peut-être pas capable de relever la tête
pour respirer.

0+
mois

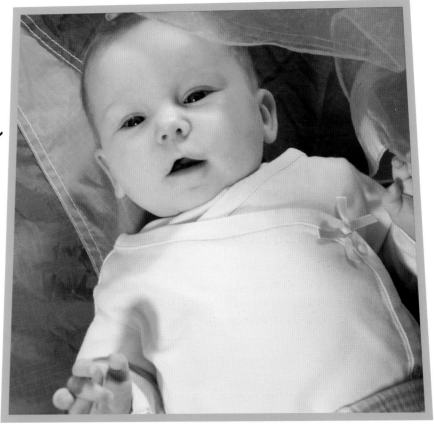

48 instaurer un rituel de coucher

Dans ce monde plein de surprises, les bébés adorent le sentiment de sécurité qu'apporte le côté répétitif des rituels, surtout quand il est l'heure d'aller se coucher. Quand vous mettrez au point votre rituel avec bébé, adoptez des activités qu'il apprécie mais qui ne sont pas trop excitantes. Vous pouvez avoir recours à un bain chaud et délassant, ou à une petite toilette, avant de lui enfiler un pyjama propre. Il n'est jamais trop tôt pour instaurer l'habitude de lire une histoire le soir. Puis un peu de musique douce, une berceuse, un repas ou un câlin réconfortant dans un fauteuil à bascule. Vous pouvez aussi discuter des événements de la journée ; il prendra bientôt part à la conversation. Quand le rituel sera installé, il pourra être suivi des mois, voire des années.

49 rationner les jouets

Il est tentant d'offrir à votre enfant des tas de jouets, mais retenez-vous. Puisqu'il ne peut tenir qu'un seul objet à la fois, il risque de se sentir perdu ou frustré s'il y a trop de choses dans son champ de vision. Donnez-lui un ou deux jouets, et remplacez-les quand il semble s'ennuyer. Cela l'aidera aussi à se concentrer, et l'empêchera d'être trop stimulé.

50 taquiner les orteils ou les doigts

Ce jeu traditionnel réjouit toujours les tout-petits :
Petit Pouce part en voyage
Saisissez son pouce ou son gros orteil,
Celui-ci l'accompagne
saisissez l'index ou le second orteil,
Celui-ci porte la valise
saisissez le majeur ou le troisième orteil,
Celui-là tient le parapluie
saisissez l'annulaire ou le quatrième orteil,
Et le tout-petit court derrière lui
saisissez en l'agitant l'auriculaire ou le petit orteil.

51 jouer à cache-cache

Regardez bébé. Détournez les yeux.
Regardez-le à nouveau, puis détournez les yeux.
Écoutez ! il vous rappellera avec des gazouillis.
Ce jeu l'amusera sûrement des années !

52 lui frotter les orteils

Bébé adore sentir vos caresses sur sa peau ;
elles le calment et le rassurent. Un léger massage
des orteils est bon pour la circulation et lui fait
prendre conscience des limites de son corps.

53 tout en noir et blanc...

Votre tout-petit voit plus facilement
le contraste
entre de grands dessins
au graphisme simple, en noir
et blanc, que les formes subtiles
de dessins de couleurs vives.
Pour stimuler sa vue, suspendez des
images en noir et blanc
(un mobile ou un morceau
de tissu encadré). Vers l'âge
de deux mois, bébé sera capable
de distinguer
des nuances de gris
presque aussi bien que vous.

54 jouer avec les ombres

Les bébés, intrigués par les mouvements ainsi que
par l'alternance du clair et du sombre, sont souvent
fascinés par les ombres. Dans une pièce obscure,
dirigez la lumière d'une lampe de poche vers
son mobile, ou agitez les doigts devant une lampe
pour projeter des ombres sur un mur. Regardez
ses yeux s'écarquiller et ses pieds gigoter de
bonheur.

0+
mois

55 faire monter la petite bête

Bébé ne pourra pas imiter le mouvement
de votre main avant l'âge d'un an environ,
mais il adorera écouter l'histoire de la petite
bête condamnée à redescendre, d'autant que
les mouvements de votre main sur son corps
stimuleront son sens du toucher :

*La petite bête qui monte, qui monte, qui monte,
qui monte…*

Faites grimper votre main le long du corps de bébé,
jusqu'à la tête.

... et qui descend !

Faites brusquement redescendre votre main
jusqu'en bas.

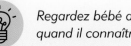

*Regardez bébé anticiper vos gestes
quand il connaîtra mieux la chanson.*

56 agiter des jouets devant bébé

Vers l'âge de deux mois, bébé va essayer d'attraper les objets. Tenez une peluche, un hochet ou des cuillères en plastique devant lui. Mais ne les lui donnez pas trop rapidement, et ne les enlevez pas trop vite de sa portée. Pour avoir le sentiment d'avoir réussi, il doit viser l'objet et s'en saisir.

57 lui embrasser le ventre

Chatouillez le ventre de bébé de vos baisers. Ça le fera sourire, et il apprendra où se trouve son ventre.

58 place au changement

Un bébé s'ennuie quand on lui présente trop souvent la même chose. Accrochez d'autres tableaux à côté du lit, donnez-lui un nouveau hochet ou une peluche. Changer légèrement l'environ -nement de bébé de temps en temps l'aide à mieux percevoir ce qui l'entoure.

59 se balancer

Ne sous-estimez jamais les propriétés relaxantes d'un bon vieux rocking-chair. Bébé et vous pourrez évacuer le stress d'une journée en vous balançant doucement. Bébé entendra votre voix, sentira votre chaleur et s'assoupira peut-être sur votre épaule. Il commencera aussi à sentir le rythme des mouvements réguliers de bascule.

60 lui faire faire des « abdos »

Cet exercice aidera votre enfant à renforcer les muscles de son cou. Allongez-le sur le dos sur une couverture et asseyez-vous à ses pieds, face à lui. Puis attrapez les coins supérieurs de la couverture avec les deux mains pour qu'elle entoure bien sa tête et le haut du corps, comme un porte-bébé. Tirez-le doucement vers vous, puis faites-le descendre. À répéter plusieurs fois lentement.

61 trouver le bon moment

Les bébés sont en éveil pendant des périodes très courtes. C'est quand votre tout-petit est calme et attentif à son environnement qu'il sera le plus réceptif. Utilisez ces moments pour lui présenter de nouveaux jouets, livres et airs de musique.

62 l'intégrer à la vie de famille

Il vous est presque impossible de passer tout votre temps à communiquer avec bébé. Mais vous pouvez être avec lui tout en faisant autre chose en l'installant dans un endroit fréquenté de la maison. Placez bébé en sécurité dans son cosy ou son transat et laissez-le regarder les membres de la famille occupés dans la cuisine ou au salon. Il peut aussi les entendre quand ils passent, ce qui lui donnera l'impression de prendre part à l'action.

64 le faire sauter sur vos genoux

Un tout-petit appréciera que vous le fassiez doucement sauter sur vos genoux, à condition qu'il puisse tenir sa tête pendant que vous le soutenez bien. Assurez-vous de ne pas trop le secouer. Pour plus d'amusement, vous pouvez le faire au rythme de cette comptine :

Bateau, sur l'eau,
La rivière, la rivière,
Bateau, sur l'eau,
La rivière au bord de l'eau.

63 on sort !

Luttez contre la claustrophobie en faisant de petits trajets ensemble tous les jours. Vous pouvez emmener bébé presque partout, au marché, au jardin public, au centre commercial. Il sera stimulé par la vue de nouvelles choses, et découvrira toutes sortes de situations.

65 lui caresser les mains

Aidez bébé à prendre davantage conscience
de la façon dont ses mains s'ouvrent et se ferment.
Quand ses poings sont bien fermés, caressez-lui
le dos de la main, ce qui en général a pour effet
de la lui faire ouvrir.

66 encore une chanson douce

Il est trop jeune pour manger des gâteaux
ou du chocolat, mais ce grand classique pourra
néanmoins lui plaire :

Fais dodo, Colas mon p'tit frère,
Fais dodo, t'auras du lolo.
Maman est en haut,
qui fait des gâteaux,
Papa est en bas,
qui fait du chocolat,
Fais dodo, Colas mon p'tit frère,
Fais dodo, t'auras du lolo.

67 des choses à regarder

À cet âge, bébé a tendance à avoir la tête
sur le côté quand il est allongé. Donnez-lui quelque
chose à regarder en plaçant des jouets colorés
ou des dessins au graphisme simple dans la zone
où porte son regard (si vous utilisez de la ficelle
pour suspendre un objet, veillez à le mettre
hors de sa portée).

68 admirer des frimousses de bébés

Des chercheurs britanniques ont montré
récemment que les bébés, même nouveau-nés,
sont plus attirés par des dessins qui ressemblent
à des visages que par d'autres dessins.
Ils les examinent et apprennent ce que véhiculent
les différente sexpressions. Montrez à bébé
les visages que contient tel ou tel livre.
Lesquels le font sourire ? Lesquels l'étonnent ?

69 répondre à ses cris

Venir quand bébé vous appelle lui apprend
qu'il a une certaine emprise sur son monde,
que vous l'aimez et qu'il peut vous faire
confiance. Ne vous inquiétez pas,
vous n'en ferez pas un enfant gâté.
Vous lui montrerez seulement
que ses besoins ont de l'importance
pour vous.

70 bonjour, bonjour

C'est avant tout dans sa famille que bébé apprend
les émotions (y compris le bonheur, la tristesse
ou la joie de voir un être aimé). Montrez-lui
comment les gens se saluent en lui faisant
un large sourire et en lui disant joyeusement
bonjour, et ce plusieurs fois par jour. Il apprendra
en vous regardant et imitera bientôt
ce que vous faites.

71 apprendre la patience

Les nouveau-nés ont besoin de temps pour comprendre comment réussir ce qu'ils veulent faire, qu'il s'agisse d'attraper quelque chose, de donner un coup de pied à un jouet, ou d'imiter vos mimiques. Soyez patient(e). Si vous vous précipitez pour aider bébé ou que vous vous détournez avant qu'il ait terminé, il va se décourager.

72 un peu d'équilibre !

Tenez bien bébé et faites-le doucement rouler d'avant en arrière sur un gros ballon de plage ; cela stimulera son sens de l'équilibre et l'aidera à se muscler.

73 changer de perspective

Proposez un nouveau point de vue à votre tout-petit et renforcez son corps en même temps en l'appuyant sur le côté sur une couverture roulée en boule ou en le retournant sur le ventre. Soyez attentif(ve) à tout signe d'ennui ou de fatigue, par exemple s'il pleure ou s'agite. Et n'oubliez pas de le mettre sur le dos quand il est l'heure de dormir.

74 l'orner de bracelets à clochettes

Aidez bébé à comprendre qu'il possède des mains et qu'il peut s'en servir, en mettant un petit bracelet coloré à breloques autour de son poignet. Vérifiez que les clochettes et les perles sont attachées solidement au bracelet.

0+ mois

75 tenir le journal de bébé

Vous avez peut-être l'impression que vous n'oublierez jamais sa première esquisse de sourire, ou ses premiers gazouillis. Mais les souvenirs d'aujourd'hui céderont bientôt la place à d'autres. Prenez quelques notes chaque semaine sur les merveilleuses découvertes de votre bébé. Conservez votre journal dans un endroit facile d'accès, sur votre table de chevet par exemple ou dans le sac à langer, si vous trouvez un moment dans une salle d'attente. Vous pouvez prendre les empreintes des mains et des pieds de bébé, peut-être tous les trois mois, pour en faire une série. Utilisez une encre non toxique, lavable, relativement foncée, que vous trouverez dans une papeterie. Pour une empreinte réussie, appliquez d'abord l'encre, puis le papier, fermement, sur le pied. Un jour, quand votre enfant verra ces œuvres d'art, il aura du mal à croire qu'il a été aussi petit (et vous aussi !).

76 faire des câlins

De nombreuses études ont montré que les câlins libèrent une hormone apaisante, l'ocytocine (aussi appelée « hormone du bien-être ») chez l'enfant comme chez ses parents. Prenez souvent bébé dans vos bras : cela vous calmera, vous et bébé, et vous rendra encore plus proches.

77 faire un mini-massage

Si vous n'avez pas le temps de faire à bébé un massage complet, passez simplement quelques minutes à le caresser doucement, de l'épaule au poignet, de la cuisse au pied, de la poitrine au ventre. Vous découvrirez peut-être que bébé préfère cela à un massage plus complet.

78 réussir à l'habiller

Il peut être difficile d'habiller un enfant qui manifeste son désaccord en secouant la tête, en agitant les bras, en hurlant. Essayez de chanter ou de jouer à cache-cache pour le distraire. S'il n'aime pas être nu, couvrez-le d'une couverture légère. Choisissez des vêtements pratiques, comme des hauts avec une ouverture large, des pyjamas avec des fermetures Éclair et des pantalons à taille élastique.

Veillez à enlever de ses vêtements toutes les étiquettes qui pourraient l'irriter ; la peau d'un bébé est très douce et sensible.

79 l'encourager à lever la tête

Pour inciter un bébé à lever la tête – ce qui l'aide à renforcer les muscles de son cou –, rien ne vaut son papa ou sa maman. Quand bébé est sur le ventre, placez-vous de telle sorte qu'il puisse voir votre visage s'il lève la tête. Appelez-le. Cet exercice peut se révéler fatigant, soyez donc attentif(ve) à tout signe d'énervement.

80 tirer la langue

Les bébés naissent en sachant imiter la plupart des expressions qu'ils voient sur notre visage. Essayez donc de tirer la langue et voyez si bébé vous répond de la même façon ! Ou bien ouvrez grand la bouche pour dire « Aaaaaahhhh » plusieurs fois, il se peut qu'il ouvre la bouche et vous réponde « Aaaaaahhhh ».

81 installer un portique

Même si bébé est trop petit pour attraper les jouets suspendus à un portique, vous pouvez quand même l'allonger dessous pour qu'il puisse les regarder. Il aura tellement envie de toucher ces jolies formes colorées qu'il tendra bientôt les mains dans leur direction.

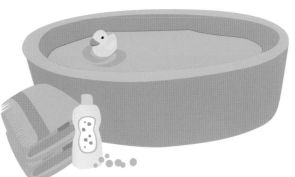

82 prendre un bain avec son bébé

Prendre un bain ensemble fait partie des grands plaisirs de la vie, pour un bébé comme pour ses parents. Prenez bébé dans vos bras, éclaboussez-le délicatement, et faites-lui découvrir la texture d'un gant ou d'une éponge. Veillez à la température de l'eau. Avant de sortir de la baignoire, confiez bébé à un autre adulte ou placez-le sur une serviette épaisse à côté de la baignoire ; ne vous levez jamais avec un bébé mouillé et glissant dans les bras.

83 à vue d'œil

Les nouveau-nés ne distinguent bien que des objets placés entre 20 et 40 cm de leur nez, distance idéale pour voir le visage d'une maman quand on tète. Mais bébé est incapable de suivre un objet qui se déplace d'un côté à l'autre (en fait, il ne sait même pas que son champ de vision serait plus large s'il déplaçait la tête en même temps que ses yeux). Pour l'aider à renforcer ses muscles oculaires, pour qu'ils fonctionnent ensemble, bougez lentement des objets de couleurs vives (des peluches ou des mouchoirs) devant lui, de gauche à droite et de droite à gauche. Vers l'âge de trois mois, ces exercices l'inciteront à tendre la main et à agripper l'objet, ce qui indique le début d'une coordination entre l'œil et la main.

3+
mois

3+ À partir de trois mois

mois

Points de repère

Votre bébé grandit rapidement et s'implique de plus en plus dans son univers.

- Écoutez-le babiller et faites-lui la conversation.

- En le massant délicatement, vous aiderez votre bébé à prendre conscience de son corps.

- Disposez des jouets près de lui ; cela l'encouragera à tendre la main et lui montrera qu'il peut influer sur le monde qui l'entoure.

La période de trois à six mois, souvent appelée lune de miel, est celle où les sourires s'épanouissent, les rires fusent, les mains explorent et les pieds gigotent joyeusement. De nombreux bébés peuvent maintenant rester assis, ce qui est extrêmement important pour voir le monde plus clairement et pour manipuler des objets avec plus de précision. La plupart des enfants apprennent aussi à communiquer par le babil, le rire et le sourire.

84 chanter à voix haute et à voix basse

Faites découvrir le volume sonore à bébé avec cette chanson, ou une autre de votre choix. Chantez-la plusieurs fois de suite, de moins en moins fort, jusqu'à presque chuchoter.
Les petits poissons, dans l'eau,
Nagent, nagent, nagent, nagent,
Les petits poissons, dans l'eau,
Nagent aussi bien que les gros.
Les petits, les gros,
Nagent comme il faut,
Les gros, les petits,
Nagent bien aussi,
Les petits poissons, dans l'eau…

85 faire asseoir bébé

Les muscles de bébé se développent de haut en bas : d'abord le cou se renforce, puis le haut du dos, le milieu et le bas du dos ; et enfin les hanches et les jambes. Mais avant même que les muscles ne soient capables de soutenir le corps, il a envie de se mettre assis ; c'est pourquoi il soulève la tête sur le plan à langer et qu'il se tire vers le haut en agrippant vos mains. Pour l'aider, appuyez-le sur quelques gros coussins. Ce soutien l'aide à acquérir le sens de l'équilibre et à renforcer ses muscles, sans qu'il risque de se faire mal en tombant. De plus, il aura aussi un nouveau point de vue sur le monde : il regarde la vie de face, et non plus allongé.

86 touche-à-tout

Les bébés apprennent grâce à tous leurs sens mais plus particulièrement avec les mains et la bouche, avec laquelle ils aiment explorer tout ce qu'ils peuvent attraper ; placez à sa portée des objets qui ne présentent aucun risque.

87 découvrir les merveilles du marché

Vers l'âge de trois mois, bébé est le compagnon idéal pour une sortie au marché. S'il adore toujours être dans vos bras, il s'intéresse de plus en plus au reste du monde. Laissez-le lorgner les fruits et les légumes colorés, sourire au boucher et toucher les bacs à congélation. Introduisez aussi de nouveaux mots à chaque sortie.

88 à la rencontre de mme Cuillère et de mr Fourchette

Si bébé s'agite trop au restaurant, présentez-lui monsieur Fourchette et madame Cuillère. Prenez la fourchette et la cuillère et faites-les danser, parler et se cacher derrière la carafe, le sac ou le menu.

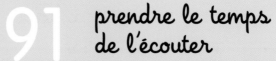

89 lui faire comprendre le haut et le bas

Pour apprendre à bébé les notions de haut et de bas, dites « en haut » quand vous le soulevez et « en bas » quand vous le faites descendre. Prenez une voix aiguë en le soulevant et une voix grave quand vous le faites descendre, pour qu'il commence à comprendre que les voix aussi peuvent monter et descendre.

90 un peu d'exercice

De nombreux clubs de sport proposent des séances spéciales pour les jeunes mamans et accueillent aussi les tout-petits. L'aérobic ou le yoga aide les jeunes mères à retrouver la forme. Tandis que leurs parents font de l'exercice, les bébés écoutent la musique, regardent les mouvements et reçoivent les baisers et les sourires qu'on leur envoie.

91 prendre le temps de l'écouter

L'émotion ressentie aux premiers gazouillis s'estompe vite, mais rappelez-vous que bébé a encore besoin de pratiquer l'art de la conversation. Pour l'aider, assurez-vous qu'il a l'occasion de parler à un auditoire attentif. Donnez-lui le temps de délier sa langue et d'émettre quelques mots, même s'il ne s'agit que de babil.

3+ mois

92 siffler un petit air

S'il est encore loin de pouvoir parler, bébé vous écoute avec attention et commence à repérer les consonnes et les voyelles que vous prononcez. Surprenez-le en le regardant dans les yeux puis en produisant un bruit inattendu : sifflez un air entraînant, ou pépiez joyeusement.

93 lui faire découvrir une boîte à musique

Bébé aimera entendre le bruit qu'elle fait et regarder le personnage qui tourne.

Au moment du coucher, passez à bébé ses berceuses préférées pour le calmer après une journée bien remplie et pour l'aider à s'endormir.

94 jouer avec l'eau

Pour aider bébé à développer la coordination entre l'œil et la main ainsi que la motricité fine, donnez-lui des verres et des tasses en plastique pour jouer dans le bain. S'il ne parvient pas encore à verser lui-même, faites-le pour lui, en le laissant apprécier la vue et le son de l'eau qui coule.

95 le mesurer

Demandez à bébé : «Est-ce que tu es grand ?», puis étirez-lui doucement les bras au-dessus de la tête et dites : «Mais que tu es grand !» Cela développe sa souplesse et l'aide à découvrir son corps – sans parler des sourires qu'il vous adressera !

96 les claquettes

Pour aider bébé à acquérir le sens du rythme, et pour lui donner une idée de ce que ses merveilleux petits pieds sont capables de faire, tapotez ses orteils en suivant le rythme d'une chanson. Bientôt, il se mettra à taper du pied tout seul quand il entendra un air qu'il aime.

97 transformer sa main en marionnette

Pour faire une marionnette, vous avez tout ce qu'il faut sous la main ; ou plutôt sur la main ! Faites un rond avec votre pouce et votre index. Dessinez des yeux puis faites bouger vos doigts tout en parlant d'une drôle de voix. Fasciné, bébé essayera peut-être de vous répondre !

98 le faire rouler

Bébé apprend à se retourner en roulant sur lui-même vers l'âge de cinq ou six mois environ. Vous pouvez l'aider à acquérir la force et la coordination que ce mouvement nécessite. Allongez bébé sur le dos sur une couverture. Puis soulevez doucement un pan de la couverture pour qu'il commence à rouler lentement de l'autre côté. Répétez cela plusieurs fois, puis essayez de le faire rouler dans l'autre direction.

99 le laisser un peu nu

Beaucoup de bébés de trois à six mois adorent être déshabillés : ils aiment sentir qu'une brise tiède caresse leur corps, qu'un tapis moelleux s'étend sous leur ventre, ou que l'herbe leur chatouille les orteils. Tant qu'il n'a pas froid et n'est pas au soleil, bébé peut rester nu un moment ; c'est un très bon moyen pour lui de prendre conscience de son corps.

100 le surprendre

Pourquoi les jeunes enfants aiment-ils jouer à se poursuivre ? Mystère. Mais beaucoup de bébés aiment que vous vous approchiez d'eux subrepticement avant de les surprendre, surtout si vous leur annoncez : « Je vais t'attraper ! »

101 faire des bulles

Observer des bulles de savon étincelantes flotter dans l'air est un des plus grands plaisirs de bébé. Cette activité a aussi un but pratique : en regardant des bulles, les tout-petits renforcent leur capacité à suivre des objets des yeux et à se concentrer. Et en essayant de les toucher, ils travaillent la coordination entre la main et l'œil.

102 bercer, balancer

Voici une comptine sur laquelle vous pourrez bercer bébé :
Un éléphant se balançait,
Sur une toile, toile, toile,
Toile d'araignée,
Il trouvait ce petit jeu,
Tellement amusant,
Que soudain ZIM BOUM CRAC...
Deux éléphants se balançaient…
Continuez autant que vous voudrez.
Puis arrêtez soudainement.

3+
mois

103 parler aux animaux

Bébé découvre le langage, et aussi les différences entre l'homme et l'animal. C'est le moment idéal pour lui présenter le langage des animaux : quand vous lisez un livre, que vous jouez avec des peluches ou que vous voyez des animaux familiers, donnez à chaque animal le bruit qui le caractérise.

104 prendre de la hauteur

Bébé voit le monde depuis le sol, depuis son lit ou sa poussette. Mais il y a aussi beaucoup de choses intéressantes en hauteur. Portez-le et montrez-lui-en quelques-unes : les tableaux sur le mur, les fleurs qui s'épanouissent sur une treille et les bibelots posés sur vos étagères. Laissez-le caresser le tissu des vestes dans la penderie, et sentir la fraîcheur d'une vitre. Donnez-lui l'occasion d'essayer d'attraper des flocons de neige ou les feuilles qu'il voit sur la branche d'un arbre. Il appréciera énormément ces découvertes.

105 faire claquer sa langue

Faites bruyamment claquer votre langue contre le voile du palais. Cela peut faire sourire bébé, et lui donner envie d'essayer à son tour de reproduire ce son.

106 jouer avec des glaçons

Bien que bébé soit trop petit pour jouer seul avec de la glace, vous pouvez lui faire découvrir le froid en lui faisant toucher un glaçon humide, un tissu froid, ou même en mettant une goutte d'eau froide sur sa joue ou sur le dos de sa main. Si vous utilisez de la glace, faites bien attention à ne pas en mettre dans sa bouche.

 Quand vous jouez avec de la glace, faites-la d'abord fondre un peu pour qu'elle soit humide et glissante et qu'elle ne colle pas à la peau de bébé.

107 les mots pour le dire

Si bébé s'intéresse à beaucoup de bruits, c'est le son de la voix humaine qui l'intrigue le plus et les mots qu'elle prononce. Expliquez-lui dans le détail ce que vous êtes en train de faire : lui laver les cheveux, préparer le dîner ou ranger vos dossiers. En lui présentant ainsi de nouveaux mots, vous lui faites découvrir le monde.

108 lui donner du soutien...

Les muscles du cou de bébé sont premiers à se renforcer pour soutenir sa tête. Pour aider ce processus, placer une serviette roulée sur elle-même sous ses petits bras pour aider à renforcer son dos et son cou.

109 se régaler

Les bébés mangent dans les bras de personnes qui les aiment, et ils comprennent rapidement qu'un repas est un bon moment pour se regarder, échanger en famille, bavarder. Avant même que bébé ne commence à manger des aliments solides, mettez-le à table avec vous, assis sur vos genoux ou dans une chaise haute, et donnez-lui des bols, des tasses, des couverts incassables.

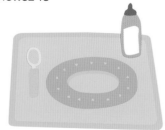

110 faire ensemble le ménage

N'attendez pas que bébé dorme pour ranger le linge. Laissez-le par terre, au milieu des vêtements de toutes les couleurs, et pliez-les en prenant votre temps pour les secouer, les lisser et pour en parler à votre public conquis par ce spectacle ménager.

3+ mois

111 lui présenter des enfants plus grands

Si bébé n'a ni grand frère, ni grande sœur, allez voir des amis qui en ont, ou passez du temps au parc. Bébé adorera voir ce que des enfants plus grands et plus forts sont capables de faire. Veillez à ce qu'il ne soit pas renversé accidentellement au milieu de toute cette activité !

112 un livre à toucher

Offrez un livre tactile à ses petits doigts. Cherchez un livre sur les animaux avec de la fausse fourrure, ou fabriquez-lui un livre à toucher en collant de grands morceaux de tissu rêche et soyeux et de fourrure sur des pages en feutrine.

113 faire parler une chaussette

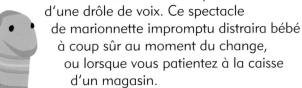

Pour amuser bébé instantanément, mettez une chaussette sur votre main et ouvrez et fermez sa « bouche » tout en parlant d'une drôle de voix. Ce spectacle de marionnette impromptu distraira bébé à coup sûr au moment du change, ou lorsque vous patientez à la caisse d'un magasin.

114 le porter comme un drapeau

Pour aider bébé à renforcer son dos et ses muscles abdominaux, mettez-vous debout et tenez-le dos contre vous. Placez une main juste au-dessus de ses genoux et l'autre sous sa poitrine, et éloignez-le de votre corps en l'inclinant légèrement – comme un porteur tient son drapeau lors d'une parade. Certains bébés adorent être portés dans cette position inclinée.

115 faire tinter les pieds de bébé

Achetez ou fabriquez des chaussettes ou des bracelets de cheville ornés de clochettes et de grelots. Ceux-ci encourageront bébé à agiter les pieds pour entendre ce bruit agréable. Assurez-vous que tout ce qui est cousu sur les vêtements de bébé ne risque pas de se détacher.

116 lui faire entendre une autre langue

Il n'est jamais trop tôt pour faire entendre une autre langue à un enfant. Vous pouvez par exemple chanter *Frère Jacques* à bébé le matin, en français et en anglais :

*Frère Jacques, Frère Jacques,
Dormez-vous, dormez-vous ?
Sonnez les matines,
Sonnez les matines,
Ding, ding, dong,
Ding, ding, dong.
Are you sleeping, are you sleeping,
Brother John, Brother John ?
Morning bells are ringing,
Morning bells are ringing,
Ding, ding, dong,
Ding, ding, dong.*

117 découvrir le yoga des tout-petits

Dans les cours de yoga pour bébé, votre enfant est allongé sur le dos ou le ventre, ou dans vos bras, pendant que vous aidez son corps à prendre des poses adaptées à son âge, parfois avec des comptines, ou en le berçant. Vous trouverez aussi des conseils sur les premiers mouvements de yoga pour bébés dans des livres sur ce thème.

 Certains clubs de yoga proposent des cours pour maman et bébé. Essayez-en un pour profiter ensemble des bienfaits du yoga.

118 jeu de mains, jeu de bébé !

Amusez votre enfant avec un jeu de mains simple, au son d'une célèbre comptine :

Ainsi font, font, font,
les petites marionnettes,

Tournez les mains doigts
en haut sur elles-mêmes,

Ainsi font, font, font,
Trois p'tits tours et puis s'en vont

Tournez trois fois les mains
l'une autour de l'autre
et cachez-les dans votre dos.

119 faire du bruit

Tout fier de pouvoir à présent attraper des objets, bébé apprécie beaucoup les jouets qui couinent. Donnez-lui-en un dans chaque main. Arrive-t-il à tenir les deux ? Regarde-t-il le jouet qui fait le plus de bruit ?

120 éternuer bruyamment

Votre tout-petit n'en revient pas des sons que le corps, le sien et celui des autres, est capable de produire. Vous le ferez rire aux éclats en répondant à ses délicats éternuements de bébé par un gros « ATCHOUM ! » d'adulte.

121 chanter en famille

Vos amis et les autres membres de la famille ont souvent envie d'aider les jeunes parents, mais ne savent pas toujours comment faire. Ils apprécieront sans doute que vous leur demandiez de vous faire partager leurs chansons et leurs comptines préférées, celles qu'ils chantaient à leurs tout-petits, peut-être même dans d'autres langues. Si votre grand-mère vous apprend quelques-unes des chansons que sa propre mère lui chantait quand elle était petite, cette chanson prendra une importance particulière à vos yeux quand vous la chanterez à votre enfant. Et un jour, vous pourrez lui raconter l'histoire de cette chanson, qu'il chantera peut-être plus tard à ses propres enfants.

3+ mois

122 lui chantonner une chanson du soir

Quand vous couchez bébé, éteignez les lumières, approchez-le d'une fenêtre et montrez-lui le ciel en lui chantonnant ce grand classique :

Au clair de la lune,
mon ami Pierrot,
Prête-moi ta plume,
pour écrire un mot
Ma chandelle est morte,
je n'ai plus de feu
Ouvre-moi ta porte,
pour l'amour de Dieu.

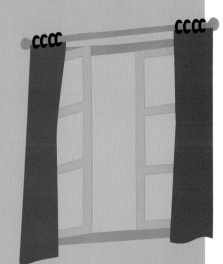

123 l'encourager à sautiller

Quand bébé utilise vos mains pour se redresser et qu'il commence à sautiller sur place, encouragez-le. Beaucoup de bébés peuvent se livrer à cette activité pendant un bon moment – et tant mieux ! Cela leur permet de renforcer les muscles de leurs jambes et d'avoir davantage confiance en eux.

124 lui organiser un concert

Bébé est tellement fasciné par le son (et par tout ce que vous faites) qu'il constituera un public conquis d'avance si vous jouez d'un instrument. Son intérêt pour la musique grandira s'il voit comment on la produit, au lieu simplement de l'écouter sur une cassette, un CD ou à la radio. Laissez-le toucher l'instrument. Tirer des cordes de guitare, taper sur un tambour ou appuyer sur les clés d'un cor lui apprend les relations de cause à effet et lui donne l'impression de participer. Et quand chaque membre de la famille joue d'un instrument, les enfants apprennent aussi que la musique est un art collectif.

125 sur une balançoire

Quand bébé peut s'asseoir avec un peu de soutien, il est prêt à aller sur une balançoire, dans un siège baquet. Selon la façon dont il peut s'asseoir, placez-le à l'arrière du siège ou calez-le vers l'avant avec une couverture roulée derrière lui pour qu'il soit bien soutenu. Poussez-le doucement, et pas trop haut au début (son cou n'est peut-être pas encore prêt à supporter des mouvements d'avant en arrière). S'il apprécie de se balancer, pimentez le jeu en lui chatouillant la jambe ou en l'embrassant sur la joue chaque fois qu'il revient vers l'avant. Cette activité aide à développer le système vestibulaire, le mécanisme corporel qui régule l'équilibre et contrôle ses mouvements. Il joue un rôle crucial dans l'apprentissage de la motricité : savoir ramper, marcher, courir, faire de la bicyclette…

126 un peu de chahut !

Vers l'âge de trois mois, bébé est capable de détecter l'origine des sons. Pour l'encourager, déplacez-vous dans la pièce en parlant d'une façon étrange, en faisant couiner un jouet, en agitant un hochet. Félicitez-le quand il vous regarde, qu'il se tortille ou même qu'il rampe jusqu'à l'endroit où vous produisez tous ces sons si intéressants.

127 et pourquoi pas du rock'n roll...

Les tout-petits aiment écouter bien d'autres musiques que celle qui leur est directement destinée. Faites découvrir à bébé un éventail de chansons entraînantes pour savoir ce qu'il préfère. Encouragez-le à taper du pied et à agiter les bras quand il écoute.

128 poser des questions

Attirez l'attention de bébé en lui posant des questions. Attendez qu'il vous réponde, même si sa réponse n'est qu'une série de gazouillis. Cela lui apprend le rythme de la conversation. Dans quelques années, c'est lui qui vous posera des questions !

129 rions ensemble...

Montrez à votre tout-petit qu'il est important et que son bonheur vous rend heureux – et apprenez-lui que le rire, comme toutes les bonnes choses, ne vaut que s'il est partagé. Quand il rit, riez avec lui.

130 un jouet à attraper

Incitez bébé à attraper les objets en plaçant un jouet sur le côté de l'endroit où il est allongé. Quand il grandira, mettez le jouet un peu plus loin, pour qu'il ait envie de rouler sur le côté afin de s'en saisir.

3+ mois

131 une nouvelle façon d'apprécier les livres

Vous aimeriez que bébé regarde les images de son nouveau livre, mais il le met directement dans la bouche. Ne vous inquiétez pas : les livres en carton ou en tissu sont faits pour résister aux mâchonnements. Et à cet âge, bébé explore la plus grande partie de son environnement en portant les objets à sa bouche. Laissez-le mâchouiller à son gré !

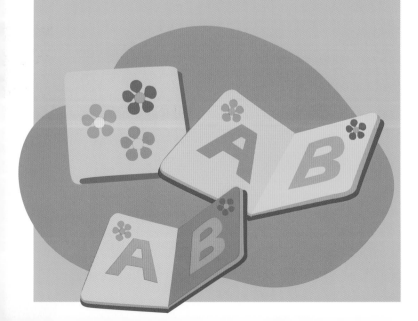

132 répondre à sa toux

Vers l'âge de cinq mois, beaucoup de bébés font une découverte passionnante : ils apprennent à tousser exprès pour attirer l'attention des adultes. Si vous êtes sûr(e) que votre petit comédien tousse à dessein et non parce qu'il est malade ou qu'il s'étouffe, jouez avec lui. Essayez de l'imiter après qu'il a toussé, ou mettez les mains sur vos joues avec un air de grande surprise. Il recommencera fréquemment pour vous voir réagir aussi drôlement.

133 jouer avec un parachute

Les bébés et les jeunes enfants adorent jouer avec du tissu, un foulard qui vole dans le vent au-dessus de leur tête ou un grand drap léger avec lequel ils se créent une tente. Pour faire un parachute adapté à bébé, placez un drap, un foulard ou un morceau de tissu léger sur la tête de votre petit aventurier, puis enlevez-le, parfois rapidement, parfois lentement. Il aimera ce jeu tactile de cache-cache.

134 lui embrasser les orteils

Bébé gloussera de plaisir si vous lui récitez cette comptine :

Dans mon jardin tout rond, il y a : un poirier, un pommier, un prunier, un pêcher, un cerisier

Relevez chaque doigt au fur et à mesure...

135 chanter sous la pluie

Chantez cette célèbre chanson à bébé pendant que la pluie tombe :

Il pleut, il pleut, bergère,
Rentre tes blancs moutons,
Allons sous ma chaumière,
Bergère vite allons.

Ou optez pour :

I'm singing in the rain
Just singing in the rain
What a glorious feeling
I'm happy again...

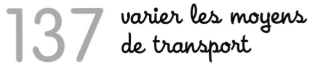

136 l'entraîner à viser

Aidez bébé à renforcer les muscles de ses jambes, à développer sa coordination entre l'œil et le pied, en le laissant taper dans des objets que vous tenez près de son pied. Utilisez des balles molles, des peluches ou tout ce qui retient son attention et lui donne envie de shooter dedans !

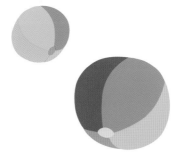

137 varier les moyens de transport

Les cosys qui peuvent passer de la voiture à la poussette et à la maison sont certes pratiques, mais ils n'offrent guère de stimulation physique à bébé. Tous les enfants ont besoin d'être portés, et ils aiment ça. Le porte-bébé est pour eux un bon moyen de voyager, car le ventre et le dos de leur père ou de leur mère sont à leurs yeux les endroits les plus sûrs et les plus intéressants.

138 l'amuser en chantant

Jouez à cache-cache avec bébé en lui chantant cette chanson, sur l'air de *Frère Jacques* :
Où est bébé
Où est bébé
Placez vos mains autour de vos yeux, comme des jumelles ;
Où est-il
Où est-il
Faites semblant de le chercher,
Où est petit bébé
Où est petit bébé
Haussez les épaules et tendez les mains, paumes vers le haut.
Ding, ding, dong
Ding, ding, dong
« Trouvez » bébé et embrassez-le.

Accompagnez votre chanson de grands gestes évocateurs ; bébé appréciera l'ensemble !

139 créer un spectacle de lumières

Aidez bébé à renforcer sa capacité à suivre visuellement les objets en dirigeant la lumière d'une lampe de poche sur le mur. Faites monter la lumière jusqu'au plafond, puis jusqu'en bas, et faites-la se rapprocher de bébé.

140 écraser des chips

Vous êtes coincés à la caisse du supermarché ? Donnez à bébé un paquet fermé de chips qu'il pourra froisser et écraser (mais pas manger). Le bruit et la texture de son nouveau « jouet » le distrairont au moins un moment, et le prix à payer pour éviter une crise potentielle est somme toute minime !

141 fabriquer un mobile vraiment mobile

Même si bébé commence à mieux voir de loin, il préfère souvent regarder les détails de ce qui se trouve à côté de lui. Pour varier sa perspective, attachez solidement des objets légers et colorés au toit ou au pare-soleil de sa poussette pour qu'ils se balancent hors de sa portée. Détachez-les quand il regarde autour de lui, et remettez-les-lui sous les yeux s'il commence à s'agiter.

142 le laisser se servir de sa bouche

Permettez à bébé de sucer votre manche, de mâchouiller ses cubes en plastique et de mettre son gros hochet dans la bouche. Oubliez la bave et la peur des microbes et pensez qu'il découvre le monde en partie au moyen de sa bouche. Assurez-vous seulement que rien de pointu, de toxique ou de suffisamment petit pour être avalé ne se trouve à sa portée.

143 chatouilles, chatouillis

Chatouillez doucement bébé dès que vous en avez l'occasion. Il adorera sûrement essayer de deviner à quelle partie de son corps vous allez vous attaquer ensuite : les doigts, les orteils, le ventre, ou le nez ?

144 l'encourager à bouger

Votre tout-petit commence peut-être à se tortiller par terre ou à se balancer d'avant en arrière sur les mains et les genoux, avec le désir manifeste de se déplacer. Aidez-le à faire travailler ensemble le devant et l'arrière de son corps en plaçant des objets intéressants, comme ses jouets préférés, juste hors de sa portée. Cela l'encourage à prendre conscience des objets ainsi que de son propre corps et permet de vérifier s'il est prêt à ramper. Bientôt son besoin d'attraper les objets sera plus fort que ses difficultés à y parvenir – et il réussira !

145 hausser le son

Comme bébé commence à babiller, il va aussi se mettre à tester le volume de sa voix. Sans lui faire peur, montrez-lui comment votre propre voix peut devenir plus forte ou plus douce. Il vous imitera peut-être aussitôt.

146 lui apprendre à s'asseoir

Il faut du temps pour que les bébés apprennent à répartir leur poids sur leurs fesses afin de rester assis. Vous pouvez aider votre tout-petit à se stabiliser en lui mettant les jambes en losange. Rapprochez ses talons de ses fesses, en écartant bien les genoux pliés. Il aura moins de risques de basculer.

147 s'imiter mutuellement

Bébé vous a montré qu'il pouvait tirer la langue et sourire pour reproduire vos mimiques. Peut-être même qu'il imite certains de vos sons, comme « ma-ma » ou « pa-pa ». Poursuivez ce jeu d'imitation en lui montrant comment ouvrir grand la bouche, ou comment faire « pffff », et voyez s'il vous suit dans cette voie.

148 quelques pas de danse

Dansez avec bébé sur une musique entraînante. Arrêtez la musique et criez : « Stop ! » Cessez de danser et regardez son visage s'éclairer à ce changement soudain. Quand la musique repart, recommencez à danser. Répétez cette alternance de danse et d'arrêts ; il rira chaque fois.

3+ mois

149 créer un tapis d'éveil

Vous avez sans doute vu, dans les magasins de jouets, des tapis d'éveil avec des poches cachées, des miroirs incassables et un assortiment de tissus qui encouragent bébé à tendre la main et à crapahuter. Vous pouvez fabriquer votre propre tapis d'éveil en cousant de grands morceaux de tissus différents très colorés et tactiles : du velours, du jean, de la fausse fourrure, du vinyle. Assurez-vous que ces morceaux soient lavables, et lavez-les avant de les assembler. Cousez ce patchwork sur un morceau de tissu lourd et solide qui servira de fond. Ajoutez-y quelques boucles pour attacher des grelots, des livres et des anneaux de dentition.

150 chercher Monsieur Pouce

Un jeu de doigts simple pour l'amuser :

– *Toc, toc, Monsieur Pouce, es-tu là ?*

Pouce caché dans le poing, frappez de l'autre main.

– *Chut, je dors !*
– *Toc toc, Monsieur Pouce, es-tu là ?*
– *Voilà, voilà, je sors !*

Le pouce sort de la main.

3+ mois

151 explorer un jardin

Les bébés savent reconnaître un bel endroit quand ils en voient un. Passez du temps avec bébé dans un jardin ou dans un parc ; il sera enchanté par les branches qui se balancent dans le vent, par les fleurs multicolores, les oiseaux qui chantent et les merveilleuses odeurs.

152 l'amuser par des bruits

Un bébé qui babille aime répéter des sons. Mais bébé sera peut-être surpris de vous entendre faire la même chose. Essayez de répéter, avec enthousiasme, un mot amusant (comme « banane ») pour provoquer un éclat de rire chez votre petit linguiste.

153 le préparer à ramper

Placez bébé sur le ventre pour cet exercice qui le prépare à ramper. Poussez doucement avec votre main l'un de ses pieds, puis l'autre. Il va repousser votre main, ce qui va le propulser en avant. Quand il sera habitué à cet exercice, il ira de plus en plus loin à chaque poussée et comprendra bien comment faire pour ramper.

154 chatouiller sa curiosité

Voici une autre comptine à terminer par des chatouilles :

C'est la p'tite Jabotte
Qui n'a ni bas ni bottes
Qui monte, et qui monte,
et qui monte…
Guili guili !

155 chercher à reconnaître des sons

Bien sûr, vous avez hâte d'entendre bébé vous appeler. Quand il babille « ma-ma » ou « pa-pa », répondez-lui par un sourire et dites : « Voilà maman ! » ou : « Voilà papa ! » Il verra qu'il obtient des réponses intéressantes à certains sons.

156 tout décrire

Commencez à encourager le sens de l'observation de bébé en lui faisant un commentaire détaillé de tout ce que vous voyez, votre chapeau rouge, un gros chat noir… même s'il ne sait pas encore ce que sont les couleurs.

157 nommer les parties du corps

En répétant fréquemment à bébé le nom des parties de son anatomie, vous l'aiderez à apprendre ce que fait son corps et à enrichir son vocabulaire réceptif. Essayez d'utiliser ces mots dans la conversation de tous les jours, plutôt que de les lister de façon ennuyeuse. Par exemple, au lieu de : « Ça, ce sont tes pieds, et ça, ce sont tes mains », vous pouvez dire : « Allez, on met ces petits pieds dans les chaussettes ! » ou bien : « Qu'est-ce que tu as dans les mains ? », tout en insistant sur le mot que vous lui apprenez. Cela l'aide à construire son vocabulaire et lui fait découvrir des structures de phrase plus complexes.

158 lui faire faire le tour de l'horloge

Bébé aimera se balancer de gauche à droite comme le pendule d'un coucou suisse, même s'il ne pourra pas lire l'heure avant encore plusieurs années !

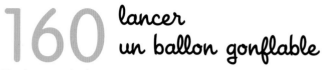

Tic, tac, tic, tac

Tenez bébé fermement sous les bras et balancez-le d'un côté à l'autre ;

C'est moi la petite horloge

Continuez à le balancer ;

Tic, tac, tic, tac

Continuez à le balancer ;

Maintenant il est une heure

Soulevez bébé au-dessus de votre tête une fois ;

Coucou ! Coucou !

Balancez-le d'un côté à l'autre.
Continuez à compter deux et trois heures en soulevant bébé respectivement deux et trois fois au-dessus de votre tête.

159 lui faire du pied

Chatouillez-le doucement en récitant cette comptine :

La fourmi m'a piqué la main (le pied…)
La coquine, la coquine,
La fourmi m'a piqué la main (le pied…)
La coquine, elle avait faim.

160 lancer un ballon gonflable

Enchantez bébé avec le mouvement et les couleurs d'un ballon gonflable que vous lui lancerez doucement. Mettez bébé sur le dos, puis lancez le ballon en l'air et attrapez-le au-dessus de lui, encore et encore. Il adorera le voir voler en l'air, et il aimera vous voir l'attraper juste avant qu'il ne retombe sur lui.

161 un petit tour sur les genoux

Installez bébé sur vos genoux, face à vous, et tenez-le bien en lui faisant faire un petit tour sur vos genoux, avec entrain et douceur !

Petit cheval va au marché,
Au pas, au pas, au pas

Faites sauter l'enfant sur vos genoux très lentement,

Petit cheval va au marché,
Au trot, au trot, au trot

Faites sauter l'enfant un peu plus vite,

Petit cheval va au marché,
Au galop, au galop, au galop

Faites sauter l'enfant encore un peu plus vite,

Et boum !

Faites-le basculer délicatement en arrière, en tenant bien sa tête.

Veillez toujours à bien soutenir la tête et le cou de bébé quand vous le faites sauter en l'air.

162 profiter des instants de calme

Les bébés sont curieux et sociables. Ils adorent communiquer et jouer avec autrui, mais ils ont aussi besoin de rester un peu seuls. N'interrompez pas bébé si vous le voyez triturer les fils du tapis, ou jouer avec ses orteils.
Laissez-le découvrir le monde dans le calme.

163 à dada sur le bidet

Une autre comptine animalière pour faire sauter bébé. Tenez-le bien sur vos genoux et faites-le sauter doucement en disant :
À dada sur mon bidet,
Quand il trotte il fait des pets
PROUT
Déséquilibrez-le légèrement.

164 des bulles, des bulles

Faites rire bébé en faisant une grosse bulle de chewing-gum pour lui. Puis splatch !
Faites-la disparaître dans votre bouche.

165 protéger le lapin

Bébé aimera cette comptine animalière, même s'il n'a jamais vu de cerf :
Dans la forêt un grand cerf
Mettez les bras au-dessus de la tête, pour faire les bois du cerf.
Regardait par la fenêtre
Arrondissez les mains autour des yeux pour imiter des jumelles.
Un lapin venir à lui
Agitez les mains au-dessus de la tête, pour faire les oreilles du lapin,
Et frapper chez lui
Faites semblant de frapper,
Cerf, cerf, ouvre-moi
Faites semblant d'ouvrir une porte,
Ou le chasseur me tuera
Faites semblant de porter un fusil,
Lapin, lapin, entre et viens
Faites signe d'entrer,
Me serrer la main
Serrez la main de bébé.

166 un peu de saut

Il peut sembler difficile à un bébé de développer son sens de l'équilibre alors qu'il expérimente surtout deux positions : assise ou allongée.
Il faut s'assurer qu'il a aussi l'occasion de bouger. Tourner, se balancer, sautiller, développent le système vestibulaire dans l'oreille interne, qui est responsable du sens de l'équilibre et de la conscience de son corps dans l'espace. Pour stimuler cette partie de l'oreille chez bébé, posez-le sur un lit (allongé, assis ou « debout » avec un soutien) et faites-le sauter très doucement sur le matelas.

3+
mois

6+ À partir de six mois

Points de repère

Votre bébé apprécie de plus en plus de jouer avec vous et d'attirer votre attention.

• Regardez-le ramper, se traîner et se mettre debout pour explorer le monde et devenir indépendant.

• Lisez, chantez et tapez ensemble dans les mains pour mettre en place les bases du langage et de la communication.

• La découverte de la pince pouce index est un jalon essentiel de la motricité fine qui lui permet de ramasser des petits objets.

Bébé est maintenant une personne délicieusement sociale, qui rit et vous appelle pour provoquer une réaction ou attirer votre attention. C'est aussi un bébé mobile qui peut se retourner et qui commence à ramper et à se lever pour attraper ce qui lui fait envie. Il testera sa motricité fine en tripotant ses jouets ou sa nourriture. Et il commence à comprendre que les objets existent même s'ils ne sont pas visibles, ce qui représente une avancée conceptuelle lui permettant de participer activement (au lieu de n'être qu'un spectateur) aux jeux de cache-cache.

167 se promener sous la pluie

Il peut être parfaitement plaisant de laisser bébé
sentir un peu la pluie par une journée de grisaille.
Cela stimule son sens du toucher, de l'odorat
et du goût. Vous verrez combien il est amusant
d'explorer tous les deux le monde humide
qui s'étend derrière votre porte. Assurez-vous
que ses vêtements le protègent bien et le gardent
au chaud ; seuls son visage et ses mains
doivent sortir !

168 on se met debout !

Maintenant que les muscles des jambes de bébé
se sont développés, il peut se mettre debout
avec votre aide. Placez-le sur le dos, les pieds face
à vous, puis aidez-le doucement à se mettre assis,
puis debout.

169 un peu de lutte à la corde

Donnez à votre tout-petit le bout d'un lange
ou d'une couverture, puis tirez sur l'autre bout.
Quand il tire à son tour, augmentez un peu votre
résistance. Ce jeu l'aide à renforcer la partie
supérieure de son corps et lui donne un sentiment
de réussite. Mais ne tirez pas trop fort, il risquerait
de basculer en arrière s'il lâchait !

170 marcher pieds nus

Une fois que bébé commence à se mettre debout
avec votre aide, vous aurez peut-être envie de lui
mettre des chaussures quand il ne dort pas. Mais
marcher pieds nus est le meilleur moyen pour
un enfant d'apprendre la façon dont fonctionnent
ses pieds. De cette façon, il lui est aussi plus facile
de trouver comment se balancer d'avant en arrière
pour trouver son équilibre, car il pourra sentir
les contractions subtiles des muscles qui le font
tenir debout. Enfilez des chaussettes antidérapantes
aux pieds de bébé s'ils sont froids,
et mettez-lui des chaussures
s'il va dans un endroit
où il peut y avoir des objets
pointus. Mais, s'il est à
l'intérieur, ou dehors
sur une surface
plane et sans
risques, il n'y a
aucun problème
à ce qu'il marche
pieds nus.

171 suivre les feuilles qui tombent

Bébé sera fasciné par les feuilles qui tombent,
et par le bruit qu'elles font quand vous
marchez dessus. Laissez-le essayer d'attraper
les feuilles dans leur chute ; cela favorise
la coordination entre l'œil et la main.

172 suivre un jouet des yeux

Si bébé peut à présent suivre des yeux les objets qui passent et repassent devant lui, il ne sera pas capable avant l'âge de sept mois de se concentrer sur eux s'ils bougent de haut en bas. Faites lentement bouger un jouet de haut en bas sur environ 25 cm. S'il ne peut pas le suivre, réessayez quelques semaines plus tard.

173 faire des bulles dans l'eau

Avec une paille, faites des bulles dans un verre d'eau. Le mouvement attirera l'attention de bébé et les gargouillis l'intrigueront. Mais ne le laissez pas essayer lui-même, il pourrait se blesser avec la paille ou inhaler l'eau.

174 on saute !

Ce jeu donne à bébé un mélange parfait de sécurité, par la répétition, et juste ce qu'il lui faut de surprise. Tenez-le contre vous, chantez lentement : « Un… deux… trois… Sautez ! » et terminez en sautant sur vous-même. Répétez cela, mais variez le tempo en accélérant le décompte ou en allant plus lentement afin de ménager le suspense qui mène au saut final.

175 créer un arc-en-ciel

Montrez à bébé comment un prisme peut produire un arc-en-ciel miroitant. Suspendez le prisme devant une fenêtre éclairée par le soleil, ou tenez-le à la main, et faites danser la lumière dans la pièce. Ou placez un verre d'eau sur le rebord d'une fenêtre ensoleillée jusqu'à ce qu'il donne naissance à un arc-en-ciel.

176 expériences sonores

Si bébé aime taper sur des pots, faites-lui découvrir un nouveau son en faisant tournoyer un peu d'eau dans un bol en métal pendant que l'un de vous deux le frappe avec une cuillère en métal. Les mouvements de l'eau transforment ce bruit en une ondulation sonore digne des films de science-fiction.

177 sonner à la porte

Alors que bébé se transforme en explorateur intrépide, ayez recours à des jeux simples et amusants comme celui de la sonnette. Prenez-le sous le bras, allez à la porte d'entrée et révélez-lui la magie de la sonnette. Montrez à bébé qu'il peut appuyer lui-même sur le bouton.

Fabriquez une pancarte « Bébé dort » que vous accrocherez à votre sonnette pour éviter tout dérangement.

6+ mois

178 jouer avec un bâton de pluie

Quand on les retourne, ces instruments de musique d'Amérique du Sud (longs tubes remplis de graines, de haricots secs ou de cailloux) font un bruit ressemblant à celui de la pluie ; quand on les secoue, ils émettent un son intriguant. Les bâtons de pluie stimulent l'ouïe et donnent à votre petit faiseur de pluie l'occasion d'améliorer sa motricité fine.

179 explorer le miroir

Prenez bébé dans vos bras et allez devant un miroir en posant la question : « Qui est-ce ? » Il ne comprendra pas à qui sont les reflets qu'ils voient, mais il adorera regarder les visages heureux et souriants.

180 envoyer des baisers

Il faudra peut-être un an ou deux avant que votre petit chéri ne maîtrise l'art d'envoyer des baisers. Mais quand vous lui envoyez un baiser, il comprend que c'est de l'affection que vous lui adressez ; et il essayera peut-être de vous imiter.

181 lui présenter des livres d'activités

Maintenant que la motricité fine de bébé se développe, il adorera ouvrir les rabats, appuyer sur les boutons et caresser la fausse fourrure que l'on trouve dans les livres d'activités pour enfants. Le livre devient alors un support de découverte par les sens.

182 on écoute !

Dans cette version auditive de cache-cache, allez derrière bébé pendant qu'il joue par terre. Dites : « Où est maman ? » ou « Où est papa ? » et attendez qu'il se retourne et qu'il vous ait repéré(e). Quand il se remet à jouer, appelez-le encore en restant derrière lui, mais à un autre endroit.

183 faire des tours de magie

Pas besoin d'être magicien pour faire ce tour qui aidera bébé à améliorer sa motricité fine et la coordination entre l'œil et la main. Enfoncez un petit foulard dans un tube de rouleau d'essuie-tout. Et voilà ! Montrez à bébé comment l'en sortir. Remettez-le en place et laissez-le le sortir tout seul.

184 faire un album de photos de famille

Renforcez le lien que bébé ressent avec sa famille en remplissant un album de photos de personnes qu'il aime. Ajoutez des photos d'animaux et de jouets, et vous aurez un livre qui le distraira pendant des années.

186 lui donner un doudou

Beaucoup d'enfants adoptent ce que l'on appelle un « objet transitionnel ». Il s'agit en général d'une couverture ou d'une peluche, qui fournit à l'enfant quelque chose qui, à la différence des gens, reste en permanence avec lui. Laissez donc bébé s'accrocher à son doudou autant qu'il le veut, le sucer, dormir avec lui... Cela lui donne un sentiment de continuité et le rassure.

185 rester à l'écoute

Cachez un objet sonore (une petite pendule, une boîte à musique ou une peluche parlante) là où votre aventurier rampant peut le trouver. En cherchant la provenance du son, il testera ses capacités auditives. Il éprouvera aussi un sentiment de réussite en découvrant l'objet.

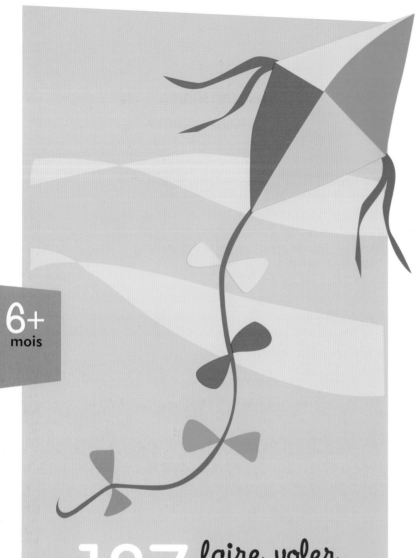

188 jouer à boum par terre

Votre tout-petit commence à bien se servir de ses mains et comprend mieux ce qu'elles font ; il est prêt à découvrir le jeu fascinant de « boum par terre ». Les règles en sont simples : bébé fait tomber un objet par terre, papa ou maman le ramasse. Bébé refait tomber l'objet, papa ou maman le ramasse à nouveau. Ennuyeux, vous trouvez ? Voyez cela du point de vue de bébé : il vous montre qu'il possède un pouvoir sur les objets et qu'il peut influer sur votre comportement. C'est un pas cognitif énorme pour un bébé !

189 monsieur Bidibulle

Votre enfant ne pourra sûrement pas reproduire tous les sons de cette chanson avant plusieurs mois, mais vous entendre lui chanter l'amusera immédiatement :

Monsieur Bidibulle n'est pas très content / WOUAAN

Faites une grimace accompagnée d'un son de mécontentement.

Son chat a mangé tout son déjeuner / MIAM

Léchez-vous les babines.

Il ne lui reste plus qu'une biscotte / CROQUE

Mimez la scène.

Un peu de fromage et une grosse galette / CHOUETTE

Écarquillez les yeux de satisfaction.

Avec plein de beurre, c'est un vrai bonheur.

187 faire voler un cerf-volant

Peu de jouets sont aussi magiques pour un enfant qu'un cerf-volant bariolé qui s'élève dans le ciel. En le surveillant attentivement, laissez bébé toucher la ficelle et voir comment elle remonte jusqu'au cerf-volant qui danse.

 Ce sont parfois les vieilles chansons traditionnelles qui ont le plus de charme ; invitez toute la famille à se joindre à vous !

190 faire du jogging

Quand vous courez ou que vous marchez, poussez bébé dans une poussette ; l'exercice sera bénéfique pour vous, et il adorera sentir le vent dans ses cheveux. Attendez qu'il ait environ six mois pour que les muscles de son cou soient assez forts pour supporter les secousses. Utilisez une poussette conçue pour le sport, elle amortira mieux les chocs.

191 développer son sens du toucher

Préparez un saladier de gélatine colorée puis constituez des cubes ou des boules sur le plateau de la chaise haute. Regardez alors votre artiste en herbe créer des sculptures abstraites en étalant cette matière miroitante, en la faisant rouler et en l'écrasant !

192 babiller avec bébé

Bébé a tendance à prononcer ses « mots » en série, comme « ba-ba-ba » et « ma-ma-ma » ? Développez ses capacités auditives et son répertoire sonore en lui faisant découvrir de nouveaux sons, comme « ta-ta-ta » ou « la-la-la ». Puis attendez qu'il vous réponde. Vous commencez à lui apprendre l'art de la conversation !

193 inventer une distraction

Plutôt que d'essayer d'empêcher bébé de tout attraper au supermarché, donnez-lui un sachet de bonbons ou un paquet de macaronis à examiner, à presser et à agiter pendant qu'il est dans le chariot. Le caractère nouveau de ces jouets improvisés l'occupera joyeusement.

194 chercher le chien

Préparez un petit spectacle pour bébé avec cette version du jeu de cache-cache. Montrez-lui un chien en peluche, cachez-le derrière votre dos et chantez :

Où est-il, où est-il donc,
Mon petit petit chien,
Mais où est-il donc passé ?
Avec ses toutes petites oreilles
Et sa longue longue queue
Mais où est-il donc passé ?

Puis aboyez en le faisant apparaître. « Il est là ! »

195 tout casser

Bébé n'est pas encore assez grand pour construire des tours avec des cubes (cela se produit en général vers l'âge de seize mois), mais il aimera se servir de ses mains pour abattre les structures que vous lui édifierez. La vue et le son de cet effondrement séduiront tant votre petit expert en démolition qu'il voudra le refaire de nombreuses fois, alors préparez-vous à un chantier qui dure !

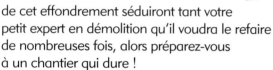

196 regarder l'envers des choses

Collez une image simple et colorée sur une grosse boîte et montrez-la à bébé. Quand il s'y intéressera, encouragez-le à trouver l'image en tournant la boîte. Peut-être rampera-t-il autour de la boîte pour chercher l'image que vous avez fait disparaître.

197 on secoue !

Pour varier un peu des hochets traditionnels, fabriquez des jouets en remplissant d'objets des bidons en plastique, tous suffisamment grands pour ne pas présenter un risque : couvercles, petites cuillères, cubes en bois. Refermez et écoutez-le secouer son jouet, le faire sonner et rouler.

198 dîner tout nu

Les vêtements de bébé perdent de leur charme quand ils sont recouverts de purée de carottes. Laissez donc bébé manger tout nu de temps en temps. Il trouvera cela très drôle. Et quand il étale de la purée sur sa poitrine, rappelez-vous qu'il prend ainsi davantage conscience de son corps.

199 tordre des éponges

Donnez à votre petit baigneur un large choix de gants de toilette et d'éponges naturelles pour jouer dans la baignoire ou dans une grande cuvette d'eau. En tordant des éponges pour en faire sortir l'eau, il stimulera son sens du toucher et renforcera ses petites mains (surveillez de très près les jeux d'eau).

200 tester son sens de l'humour

Vers l'âge de six mois, les bébés commencent à avoir le sens de l'humour. Beaucoup peuvent même apprécier des jeux de mots simples : essayez de transformer les « matines » de *Frère Jacques* en « tartines » par exemple, ou de chanter *Au clair de la prune*, et regardez le sourire naître sur le visage de bébé.

 En l'encourageant à bien écouter, vous aidez bébé à développer plus tard ses capacités langagières.

201 ramper ensemble

Les bébés adorent suivre un parent qui rampe dans la maison ou dans le jardin – alors faites plaisir au vôtre ! D'autant qu'en voyant le monde à la hauteur de bébé vous redécouvrirez des points de vue oubliés !

202 explorer un tunnel

Vous trouverez dans tous les magasins de jouets des tunnels pliables. Bébé améliorera son sens des relations spatiales en parcourant le tunnel et, si vous ajoutez un jouet à l'intérieur, il découvrira qu'il y a même une récompense à l'autre bout !

203 cacher sans cacher

Si bébé trouve facilement des jouets dissimulés derrière des boîtes ou des couvertures, lancez-lui un défi en cachant un objet derrière une barrière transparente, comme une planche à découper en verre ou un cadre à photo en plastique. Essaie-t-il d'attraper le jouet à travers la surface transparente, ou bien la contourne-t-il ?

204 jouer avec des chapeaux

La fascination que bébé éprouve pour sa propre image et la prise de conscience de son existence en tant qu'individu lui feront apprécier son image dans un miroir – surtout si vous lui faites essayer des chapeaux. Une casquette ou un chapeau de paille feront parfaitement l'affaire.

205 toujours des chatouilles

Cette célèbre chanson permet de nommer les parties du corps, et peut procurer une distraction bienvenue lors du change si vous chatouillez chacune des parties mentionnées :

Alouette, gentille alouette,
Alouette, je te plumerai
Je te plumerai le bec
Chatouillez le nez de bébé.
Je te plumerai le bec
Et le bec, et le bec,
Alouette, alouette,
Alouette, gentille alouette,
Alouette, je te plumerai !

Ajoutez à chaque fois une partie du corps.

206 faire un bisou au nounours

Bébé reproduira votre comportement, même si vous vous adressez, par exemple, à un ours en peluche : « Un bisou pour nounours ! » et « Un bisou pour bébé ! »

207 jouer avec un vaporisateur

Les bébés adorent les nouvelles sensations : recevoir des gouttelettes d'eau sur le ventre en est une très agréable.

6+ mois

208 lui apprendre à manger tout seul

Passez-vous plus de temps à tenter d'empêcher bébé de se saisir de sa cuillère qu'à lui donner véritablement à manger ? Alors, il est temps de le laisser faire. Remplissez sa cuillère d'une nourriture solide et pâteuse qui ne glissera pas, comme de la Blédine ; mettez-lui la cuillère dans la main, et guidez-la jusqu'à sa bouche. Il mangera tout seul avec un ustensile adapté dans le courant de sa deuxième année.

209 jouer à la cuillère baladeuse

Fouillez dans votre tiroir à couverts et sortez toutes les grosses cuillères et les spatules que bébé pourra agiter et lécher et avec lesquelles il pourra taper. Montrez-lui que faire passer une cuillère d'une main à l'autre n'est pas un mince exploit pour un bébé !

210 en haut, en bas

La prochaine fois que vous pousserez bébé sur une balançoire, pimentez le jeu en lui disant joyeusement « Tout en haut ! » quand vous poussez la balançoire et « Tout en bas ! » quand elle revient vers vous. Il ne comprendra peut-être pas les mots, mais il remarquera la répétition des sons et agitera peut-être les pieds en attendant la prochaine poussée.

211 une armada de bain

Rassemblez divers objets (jouets pour le bain, bouteilles en plastique vides avec le bouchon bien vissé) et faites flotter tout cela dans la baignoire. Votre petit marin adorera les voir osciller et vous entendre nommer et décrire les objets qu'il arrive à attraper.

214 créer un livre

Même très jeunes, les bébés commencent à manifester leurs centres d'intérêt. L'un adore les canards, l'autre les arbres, un autre encore les bananes. Faites pour votre enfant un livre sur son sujet préféré. Percez quelques morceaux de carton, attachez-les avec de la ficelle et collez-y des photos découpées dans des journaux ou des dessins. En grandissant, il verra avec ce genre de livre qu'un seul et même thème peut être représenté de bien des façons.

6+ mois

212 goûter les moments de paix

La vie avec bébé est parfois effrénée, et il peut être difficile de concilier le travail, le jeu, le sport et des instants de tranquillité. Essayez de vous réserver des moments de calme avec votre enfant, de vous asseoir sur la pelouse pour écouter les oiseaux par exemple, de chanter ou de rester juste allongés sur le lit à regarder tourner le ventilateur de plafond. Ces moments de tranquillité vous permettent, à vous et à bébé, de vous relaxer et de vous rapprocher.

213 regarder de plus en plus haut

Montrez à bébé des papillons, des oiseaux, des avions et d'autres merveilles ailées pour élever sa perspective.

216 dans quelle main ?

Devant bébé, sortez une petite peluche de derrière
votre dos. Montrez-la-lui, en utilisant d'abord
la main droite, puis la gauche, puis à nouveau
la droite. Bientôt, son regard vous dira qu'il essaye
de deviner quelle main aura le jouet. Essayez
de ne pas toujours alterner, mais de garder
une régularité dans le changement de main ;
arrive-t-il à la repérer ?

6+ mois

215 aller à la rencontre des animaux

Vous n'avez peut-être pas envie
d'adopter un poisson rouge,
un cochon d'Inde, un chiot
ou un iguane, mais bébé adorera
voir des animaux en vrai.
Une animalerie bien approvisionnée
est presque aussi amusante
qu'un zoo, parce que les bébés
sont aussi captivés par une souris
que par un lion
d'Afrique.

217 l'embrasser avidement

Les bébés comprennent que les baisers
sont un signe d'affection, et ils commencent
à les rendre vers l'âge de huit mois. Encouragez
le vôtre en lui demandant : « Qui veut un bisou ?
qui veut un bisou ? » Puis déposez un baiser
sur sa joue en exagérant le bruit.

218 développer les histoires

Il est important de lire des livres à voix haute
à tous les enfants, même à ceux qui savent déjà
lire. Mais il ne suffit pas de lire les mots imprimés
sur la page. Parlez à votre enfant de ce qu'il y a
sur la page, des couleurs, des formes par exemple.
Ces éléments l'intéresseront pendant des années.

219 un nouveau cache-cache

Bébé et vous avez sans doute déjà passé bien des moments agréables à jouer au jeu classique de cache-cache, au cours duquel vous vous couvrez le visage avant de le découvrir. Essayez une nouvelle version de ce jeu quand vous changez votre enfant : au lieu de vous cacher le visage, posez une couche propre sur le visage de bébé. Quand il tend les mains pour l'enlever, aidez-le et écriez-vous : « Je t'ai vu ! » Ce jeu l'aide à comprendre que vous existez tous les deux même quand il « se cache ».

221 un tiroir pour lui tout seul

Vers l'âge de six mois, les bébés répètent le même comportement : voir, attraper, lâcher. Remplissez d'objets un tiroir que bébé pourra explorer quand il en aura envie : des jouets, des éponges propres ou tout ce qui vous tombe sous la main et qu'il pourra manipuler sans risque.

6+ mois

220 un peu de rameur

Pour ramer avec bébé, asseyez-vous avec les jambes pliées et les pieds posés à plat par terre. Placez votre petit rameur le dos contre votre ventre. Avancez doucement d'avant en arrière en lui tenant les mains et « ramez » ensemble. Cette activité stimulera son système vestibulaire et fera travailler vos abdos !

222 on plie les genoux !

Même si bébé maîtrise l'art et la manière de se mettre debout en s'agrippant à l'objet le plus proche (un fauteuil ou votre lit), il ne saura peut-être pas se remettre assis par terre. Peut-être trouverez-vous d'abord adorable son air perplexe, mais quand il vous aura appelé(e) au secours un certain nombre de fois, vous trouverez ça nettement moins mignon. Pour lui apprendre comment se baisser sans tomber, exercez une légère pression derrière ses genoux pour les faire se plier. Puis aidez-le à descendre, légèrement penché vers l'avant, jusqu'à ce qu'il se retrouve à genoux. Après quelques jours d'entraînement, il sera à l'aise pour se lever et retourner par terre.

 En allongeant bébé sur le dos et en lui faisant délicatement « faire du vélo », vous l'aidez à renforcer les grands muscles dont il a besoin pour se tenir debout.

223 oublier ses chaussettes

Dès que bébé aura compris comment enlever ses petites chaussettes pour exposer ses orteils, il le fera de manière répétée. Cette activité lui donne un sens de la détermination et aide à développer la coordination. N'hésitez pas à applaudir à ses efforts. S'il ne fait pas froid, il n'y a pas de problème à ce qu'il reste pieds nus.

6+ mois

224 sentir les fruits

Vous venez de rentrer, et vous avez besoin de 10 minutes pour ranger les provisions. Posez donc votre tout-petit par terre dans la cuisine et donnez-lui un produit intéressant avec lequel il peut jouer, dans votre champ de vision, pendant que vous terminez votre tâche. Il aimera faire rouler de manière imprévisible un melon à la peau grainée ou une orange délicieusement parfumée.

225 le téléphone

Chaque fois que vous parlez à quelqu'un que bébé connaît bien, placez le téléphone près de son oreille pour qu'il puisse entendre cette voix familière. Bientôt il sera capable de babiller en réponse.

226 enregistrer sa voix

Votre enfant commence à comprendre qu'il est vraiment une personne (concept qu'il n'assimilera pleinement que vers l'âge d'un an, un an et demi). Il adorera entendre sa propre voix. Enregistrez ses babils, ses gazouillis, ses rires, puis passez-les-lui. Cela vous donnera aussi un album sonore des premiers sons de bébé.

227 remplir le bocal

Quand bébé peut rester assis tout seul, donnez-lui un bocal en plastique à grande ouverture et quelques jouets adaptés à son âge. Guidez sa main et montrez-lui comment mettre les jouets dans le bocal, ce qui lui apprend à situer les objets dans l'espace. Puis montrez-lui comment enlever les jouets, ce qui stimulera son ingéniosité (« Comment vais-je pouvoir sortir ces jouets de là ? »).

228 les fesses en l'air !

Allongez-vous sur le dos, les genoux fléchis et les pieds en l'air. Posez bébé sur vos tibias, face à vous. Inclinez les genoux vers votre nez jusqu'à ce qu'il soit à l'horizontale, ou remontez les pieds légèrement pour qu'il ait les fesses en l'air.

229 faire disparaître les balles

Présentez à bébé un spectacle de magie en faisant rouler quelques balles dans un tube en carton. Il regardera avec fascination les balles disparaître – puis réapparaître soudainement. Celui-ci lui apprendra aussi la permanence des objets (l'idée qu'un objet ne cesse pas d'exister juste parce qu'il n'est pas visible) et les relations dans l'espace.

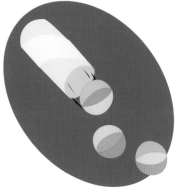

230 une musique entraînante

La musique revêt un tout autre intérêt pour bébé quand il s'agit d'en faire avec d'autres personnes, et non plus seulement de l'écouter. Prenez une flûte à bec ou un tambour ; donnez-lui un tambourin ou un grelot. Même si le triangle est le seul instrument dont vous sachiez jouer, vous aimerez tous les deux la musique que vous ferez ensemble.

231 lui donner des pâtes

Mettez une cuillerée de spaghettis cuits, froids et humides sur le plateau de la chaise haute de bébé. Il aimera tenter de séparer et d'écraser ces filaments glissants.

232 lui dire « merci »

Bébé commence à avoir conscience de la vie en société. Il adorera le jeu simple qui consiste à vous tendre des jouets et vous entendre dire « merci ». Non seulement cela le distraira, mais ce petit rituel lui apprendra la politesse !

233 se mouiller

Si le temps est assez chaud, versez un peu d'eau dans une grande cuvette ou dans une petite piscine à l'extérieur et laissez bébé barboter à son gré. Ajoutez de petits jouets en plastique, arrosoirs, seaux et canards, mais ne le laissez jamais sans surveillance.

234 lui apprendre à dire « boire » en langue des signes

Les bébés apprennent le langage des signes bien avant le langage parlé. Apprenez donc à bébé quelques signes, comme pour « boire » : fermez votre main comme si vous teniez un verre et portez-la à vos lèvres. Refaites ce geste chaque fois que vous donnez à boire à bébé. Bientôt il le fera de lui-même pour vous signifier qu'il a soif.

6+
mois

235 un peu de percussion

Pour offrir une batterie à bébé, attendez qu'il soit adolescent – ou au moins qu'il sache s'asseoir tout seul ! Entre-temps, laissez-le taper sur des objets, comme des casseroles ou des bidons en plastique. Il n'est jamais trop tôt pour prendre conscience du rythme.

236 et que ça saute !

Même s'il ne marche pas, même s'il ne s'assoit pas encore tout seul, bébé adorera sautiller de haut en bas dans un siège adapté, suspendu à des cordes élastiques. Attachez le siège au cadre d'une porte très large afin qu'il ait de la place pour bouger, et restez près de lui pour des raisons de sécurité.

237 le faire manger avec les doigts

Quand bébé saura manger tout seul, encouragez-le dans cette voie en préparant des bouchées que vous dégusterez ensemble. Cela lui permet de se servir de la fameuse pince pouce-index et de savourer un repas hors du commun avec vous.

238 chanter la chanson des dents

Lavez les premières dents de votre bébé avec un gant de toilette fin et humide, un morceau de gaze ou une brosse à dents pour bébé (le dentifrice n'est pas nécessaire à ce stade). Ouvrez grand la bouche pour l'inciter à vous imiter ; puis effectuez un aller-retour rapide dans sa bouche, sans aller très loin. Pour rendre cela plus amusant, vous pouvez chanter cette chanson sur l'air de *Au clair de la lune* :

Au clair de la lune,
On se lave les dents.
Si on n'en a qu'une,
On se lave la dent.
On frotte et on frotte,
Encore et encore,
Les petites quenottes
Du petit trésor.

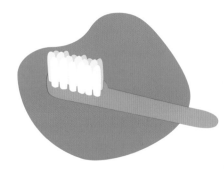

239 que la lumière soit !

Bébé commence à comprendre la relation de cause à effet. Laissez-le jouer avec les lumières, allumer, éteindre, encore et encore, cela lui donnera un sentiment de pouvoir !

240 cacher dans la chaussette

Bébé commence à comprendre qu'un objet continue d'exister même lorsqu'il n'est pas visible. Glissez un petit jouet dans une chaussette d'adulte puis montrez-lui comment le faire sortir. En un rien de temps, il commencera à chercher lui-même dans la chaussette le jouet disparu.

241 lui donner une leçon de jonglage

Avec un jouet dans chaque main, que va faire bébé si vous lui en proposez un troisième ? Va-t-il essayer de s'en saisir avec les deux mains pleines ? Ou va-t-il tout laisser tomber ? Avec le temps, il apprendra à poser un jouet avant d'en attraper un autre.

242 faire la course en rampant

Quand bébé maîtrisera l'art de ramper, préparez-lui une course d'obstacles sans difficultés où il pourra exercer l'ingéniosité et la motricité globale que requiert sa nouvelle mobilité. Choisissez un tapis épais, ou pliez une couverture pour protéger ses mains et ses genoux. Installez des petits coussins et des piles de couvertures sur lesquelles il pourra grimper ; soyez prêt(e) à l'aider s'il en a besoin. Couvrez des chaises avec des draps pour lui fabriquer un tunnel à traverser, et cachez des jouets qu'il découvrira tout le long du parcours.

6+
mois

243 décrire le monde

Plus vous parlez, plus bébé écoute,
et plus il enregistre de mots. Faites-lui découvrir
les rythmes des phrases en lui détaillant ce que
vous faites. Ainsi, il commencera à comprendre
le monde qui l'entoure et la manière de donner
des explications. Un jour ou l'autre, vous
l'entendrez parler à son nounours
de la même façon que vous
lui parliez à lui.

6+
mois

244 frapper dans les mains

Vers l'âge de six mois, les bébés sont prêts
à frapper dans leurs mains. Prenez doucement
ses mains dans les vôtres et tapez ensemble
dans les mains en chantant une chanson comme
Pomme de reinette et pomme d'Api. Il finira
par comprendre et le refera tout seul.

245 du bruit, encore du bruit !

Posez une plaque en métal par terre,
devant bébé ou sur le plateau de sa chaise haute,
puis donnez-lui un choix d'objets rigides : cubes
en bois, cuillères en métal, tasse en plastique.
Aidez-le à faire tomber les objets sur la plaque.
Quel est son bruit préféré ?

246 on éclabousse !

Remplissez partiellement une baignoire,
puis donnez à bébé des jouets et des balles
adaptés à laisser tomber dedans. Le « plouf ! »
qui en résultera le ravira ! Cette activité lui permet
également de s'exercer à attraper et à lâcher,
et lui fait prendre conscience des relations de cause
à effet. (Ne laissez jamais un bébé jouer dans l'eau
ou près de l'eau sans surveillance.)

 *Réfléchissez au meilleur moyen de faire
de votre maison un lieu sans danger pour un bébé
de plus en plus mobile.*

247 chercher bébé

Quand vous enfilez son tee-shirt à votre enfant, au moment où son visage est dissimulé par le vêtement, demandez gaiement : « Il est où, bébé ? » Quand son visage réapparaît, dites : « Il est là ! » Variez ce jeu en le soulevant au-dessus de votre tête tout en faisant semblant de le chercher, puis placez-le face à vous pour de joyeuses retrouvailles.

248 le couvrir de baisers

Bébé est maintenant assez grand pour apprécier des bisous un peu originaux. Essayez les bisous esquimaux (nez à nez) ou les bisous papillons (battez des cils contre sa joue). Avant longtemps, il vous retournera toutes sortes de baisers.

249 rire ensemble

Bébé est à l'âge où il aime rire de ses propres plaisanteries. Il peut s'agir de faire tomber un jouet par terre encore et encore, de crier sur les passants ou de faire des grimaces. Soyez amusé(e) de ce qui amuse bébé. Si vous riez de ses plaisanteries, vous lui montrez qu'il a le pouvoir d'amuser.

6+
mois

250 ouvrir un parapluie

Les bébés s'émerveillent facilement. Pour le vôtre, par exemple, une longue tige peut se transformer, comme par magie, en une surface lisse, colorée et bombée. Ouvrez donc un parapluie devant lui de façon un peu théâtrale, et dites : « Sésame, ouvre-toi » avant de le faire tourner comme Mary Poppins. Succès garanti !

9+ À partir de neuf mois

Points de repère

Votre bébé élargit sa palette d'activités et continue à apprendre à l'aide de tous ses sens.

- Il commence à explorer les textures (la surface lisse des feuilles, la rugosité de l'écorce) et les sons (le chant des oiseaux, la musique).

- En faisant tomber ses jouets du haut de sa chaise, il découvre la causalité.

- L'idée que vous êtes toujours là même s'il ne vous voit pas (ce qu'on appelle la permanence de l'objet) est un développement nouveau.

À cet âge, même un bébé qui ne marche pas encore commence à ressembler davantage à un petit garçon ou à une petite fille. Ce qu'il adore désormais, ce sont les jeux qui lui permettent d'exercer sa motricité globale (ramper, se mettre debout, se déplacer par terre ou grimper) parce que la mobilité est son principal objectif. La motricité fine est également importante pour lui ; il insistera peut-être pour tourner les pages d'un livre ou pour empiler lui-même ses cubes. Préparez-vous : son apprentissage de l'autonomie ne fait que commencer…

251 proposer le moule à cannelés

Une fois que bébé aura maîtrisé l'art de ramasser et de lâcher des objets, il aimera laisser tomber des jouets et des boulettes de papier dans les trous des moules à cannelés – ce qui l'aide à développer sa motricité fine.

252 sortir le panier à linge

L'un des jouets préférés des bébés. Un panier à linge peut se transformer en fort, en parc ou en lit de poupée. Bébé peut jeter des jouets dedans et le pousser partout, il peut même grimper dedans et vous demander de l'emmener en promenade. Un jour vous pourrez peut-être vous en servir pour y mettre du linge !

253 lui faire faire l'ascenseur

Faites découvrir à votre enfant la joie d'être un « monte-en-l'air ». Asseyez-vous sur un tapis, bébé face à vous. Soulevez-le et, tout en le tenant bien, roulez en arrière pour qu'il « vole » au-dessus de votre tête. Cela renforce son dos et stimule le système vestibulaire, qui l'aide à trouver son équilibre. Cela suscitera sans doute aussi pas mal de fous rires de la part de votre copilote !

254 oh, oh, de l'eau !

Les jeux d'eau font partie des activités préférées des petits de tous âges. Un après-midi d'été, donnez à bébé quelques pinceaux bon marché et un seau d'eau, et laissez-le « peindre » le balcon ou la terrasse.

255 tester son sens de l'équilibre

Les petits aiment éprouver leur sens de l'équilibre en essayant de ramper ou de marcher le long des poutres que l'on trouve sur les aires de jeu. Ils peuvent aussi s'entraîner chez eux : posez une planche large et solide contre une table ou une chaise suffisamment lourde. Couvrez le sol de tapis ou de coussins. Puis restez à côté ou tenez-lui la main pour l'encourager à monter et à descendre.

256 lui donner des jouets à pousser

Avant de pouvoir alterner ses mouvements de jambes pour pédaler, votre enfant peut avancer en poussant sur les deux jambes à la fois. La poussée lui permet de renforcer ses muscles et lui donne la joie de pouvoir se déplacer tout seul. Restez près de lui ; bébé aura peut-être besoin d'une main secourable pour l'aider à garder son équilibre et à ne pas tomber.

257 transformer bébé en brouette

Cette activité renforce la partie supérieure du corps de votre enfant et développe sa coordination : prenez-le par les hanches ou sous le torse pour qu'il puisse « marcher » sur les mains. Quand il sera plus âgé et plus fort, vous lui tiendrez les pieds.

258 faire des bisous de marionnette

Prenez une marionnette pour « embrasser » différentes parties du corps de bébé. Il adorera que vous lui annonciez le prochain endroit où la marionnette va l'embrasser.

259 jouer à cache-cache avec des jouets

Faites-lui comprendre la notion de volume des objets en cachant ostensiblement un jouet sous une couverture parmi d'autres objets avant d'aider votre enfant à le trouver. Il apprendra bientôt à le reconnaître en fonction de sa forme.

260 maîtriser l'escalier

Même s'il est tentant d'interdire l'accès à l'escalier, il vaut mieux apprendre à bébé à y aller en toute sécurité. Pas besoin de beaucoup d'entraînement pour qu'il monte les marches, mais pour qu'il puisse descendre sans accident, il faut qu'il se retourne sur le ventre et pose les pieds sur la marche qui se trouve en dessous de lui. Une fois qu'il aura appris à chercher du pied un objet solide derrière lui, il aura les bases non seulement pour monter l'escalier mais aussi pour d'autres activités plus tard : se déplacer dans une aire de jeu quand il ira à la maternelle, ou faire de l'escalade quand il sera adolescent. Assurez-vous toujours que la barrière de sécurité qui barre l'accès de l'escalier est bien fermée quand bébé ne s'entraîne pas sous votre surveillance.

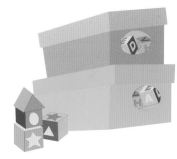

261 remplir une boîte

Découpez un grand trou dans le couvercle ou dans le côté d'une boîte à chaussures, puis montrez à bébé comment faire entrer des jouets dans la boîte en passant par le trou. Cela lui permettra d'apprendre la notion de dimension. En prenant des jouets et en les poussant à travers le trou, il développe aussi sa motricité fine.

Mettre des objets dans une boîte et les en sortir aide bébé à développer son sens des relations spatiales.

262 trier les formes

Avec un jouet adapté, montrez d'abord
à votre enfant comment faire entrer la pièce ronde
dans le trou rond, puis montrez-lui comment faire
entrer les pièces carrées
et triangulaires dans les trous
correspondants. Bientôt,
il fera l'association tout seul.
Cette activité l'entraîne
à différencier les objets
et développe aussi
la motricité fine.

263 dessiner ensemble

Il faudra des années avant que votre enfant soit
capable de dessiner quelque chose qui ressemble
à… quelque chose. Mais il aimera gribouiller
avec un crayon de couleur, un feutre ou une craie.
S'il ne peut pas le faire tout seul, guidez sa main
sur le papier.

264 en quête de stabilité

Vous pouvez utiliser un gros ballon de stabilité
en vinyle (en vente dans les magasins de sport)
pour stimuler et renforcer le sens de l'équilibre de
votre enfant, ce qui est crucial dans l'apprentissage
de la marche et plus tard de la course. Asseyez-
le sur le ballon et, en lui tenant le torse, faites-le
doucement sauter d'un côté à l'autre ou bien faites
rouler le ballon d'avant en arrière.

265 encourager les marcheurs précoces

Le défi principal que pose la marche est de trouver
son équilibre. Pour aider votre tout-petit à se lever
(et à rester debout !), donnez-lui des objets stables
et résistants, mais suffisamment légers pour qu'il
puisse les pousser, comme un panier à linge rempli
de vêtements. Mais évitez les tricycles et les trolleys,
ils avancent trop vite.

266 construire une maison en carton

L'amour des espaces à sa taille, des jeux
de cache-cache et des jeux d'imitation conduira
votre enfant à aimer avoir sa propre maison.
Prenez un gros carton, découpez des fenêtres et
une porte, et décorez l'extérieur avec de la peinture
et des autocollants. Installez des couvertures
et des jouets à l'intérieur pour créer un petit nid
douillet.

267 sentir des odeurs intrigantes

Récupérez quelques petits récipients en plastique, et mettez des ingrédients très parfumés à l'intérieur (un par récipient). Par exemple, imbibez un morceau de coton d'extrait de vanille ou écrasez un bâton de cannelle. Fermez la boîte et scotchez le couvercle, puis faites de petits trous dedans. Laissez bébé sentir les odeurs qui s'en dégagent.

268 descendre le toboggan

Au début, bébé ne voudra peut-être glisser le long du petit toboggan qu'avec votre aide ; vous resterez à côté pour le guider et vous le rattraperez au bout. Plus tard, quand il se sentira plus assuré, il se lancera tout seul.

269 on chante, on danse, on mange

Pimentez l'heure du repas en chantant la danse des légumes :

Tous les légumes, au clair de lune
Étaient en train de s'amuser, hé
Ils s'amusaient, hè
Tant qu'ils pouvaient, hè
Et les passants les regardaient.
Les artichauts sautaient à petits sauts
Les salsifis valsaient sans bruit
Et les choux-fleurs se dandinaient
avec ardeur.

270 premier vrai cache-cache

Après des mois passés à tester le concept de la permanence des objets (ils existent même s'ils ne sont pas visibles), bébé est enfin prêt pour le grand jour : sa première partie de cache-cache avec vous. Mais ne vous cachez pas trop bien, cela pourrait frustrer ou effrayer bébé. Au lieu de cela, aidez-le en l'appelant : « Viens me trouver ! Où suis-je ? » Pour les bébés, ce jeu n'est pas seulement amusant, il les aide à apaiser leur angoisse de la séparation puisqu'ils vous voient « revenir » après vos « disparitions ».

9+
mois

271 explorer le monde à pied

Si bébé marche, donnez-lui souvent l'occasion de déambuler sur le trottoir, de folâtrer sur un chemin de campagne ou de crapahuter dans l'herbe haute d'une pelouse. Il aiguise ses capacités d'observation en ramassant des cailloux, des bâtons, et en écoutant le bruit de ses chaussures sur le sol.

272 faire éclater les bulles

Bébé aime depuis toujours vous regarder faire des bulles de savon, et, vers l'âge de neuf mois, il est prêt à tendre la main pour les faire éclater. Encouragez-le donc ! Cela développera la coordination entre la main et l'œil et il sera fier de ses exploits savonneux.

273 parler dans un tube

Si votre enfant est intrigué par les sons (surtout ceux qu'il fait tout seul), alors il trouvera sans doute très amusant de parler (ou plutôt de babiller) dans un tube. Prenez le tube en carton d'un rouleau d'essuie-tout et montrez-lui comment parler, souffler, fredonner et chanter dedans. Puis laissez-le essayer.

274 lui donner un sac à dos

Quand il verra un frère ou une sœur plus âgé(e), ou bien un adulte, utiliser un sac à dos, votre tout-petit voudra sans doute en avoir un aussi. Bien sûr, il ne pourra pas porter de charge avant de savoir bien marcher, mais il aimera vous aider à remplir son sac à lui avec des jouets, des en-cas ou des livres – avant de tout vider !

275 lui téléphoner

Fasciné par la sonnerie et par tous ces boutons, bébé essaye peut-être déjà d'attraper votre téléphone. Mettez fin à vos batailles en lui en donnant un à lui. Qu'il s'agisse d'un jouet ou d'un vieux téléphone sans fil, il aura l'impression de faire comme papa et maman en s'en servant. En même temps, cela le fera parler et développera son sens de la communication.

276 chacun son tour

Votre enfant sautera sur l'occasion de s'entraîner à marcher en tirant ou en poussant un solide petit camion. Faites-lui d'abord faire un tour sur le camion, puis laissez-le emmener ses poupées ou ses peluches en promenade.

Apprendre à utiliser ses jambes en alternance tout en poussant un chariot rempli de cubes constitue pour bébé un excellent exercice pour apprendre à marcher.

277 enfiler les anneaux

Votre enfant ne sera pas capable d'enfiler des anneaux sur un mât en plastique dans l'ordre, du plus grand au plus petit, avant d'avoir environ deux ans. Encouragez-le à faire preuve d'ingéniosité et à développer sa coordination entre l'œil et la main en empilant les anneaux dans n'importe quel ordre… et en admirant ce qu'il fait de mieux : tout démonter !

278 dire au revoir de la main

Dire au revoir est l'un des premiers rituels sociaux qu'apprennent les bébés parce que c'est un geste qu'ils peuvent facilement reconnaître et imiter. En apprenant à votre enfant les mots (au revoir) et les gestes qui vont avec (agiter la main quand quelqu'un s'en va), vous mettez en place un rituel apaisant qui peut l'aider si l'angoisse de la séparation rend les départs difficiles.

279 aller au zoo

Si bébé s'extasie quand il voit des animaux au loin et dans les livres, et qu'il apprécie les visites à l'animalerie, allez dans un zoo pour enfants où il pourra découvrir les créatures étonnantes qui habitent notre planète. Surveillez attentivement les rencontres de votre tout-petit et lavez-lui les mains ensuite.

9+ mois

280 faire sortir le diable de sa boîte

Avec le bruit qu'il fait et sa marionnette à ressort, ce vieux jouet continue à ravir les enfants. Aidez bébé à tourner la poignée et remettez la marionnette dans sa boîte après qu'elle en est sortie – mais pas besoin d'apprendre à rire à bébé quand elle ressort, encore et encore !

281 dégonfler les joues

Au hit-parade des plaisirs enfantins, appuyer sur les joues gonflées de son papa ou de sa maman avec les deux mains et les voir se dégonfler obtient un très bon classement. Surtout si vous prenez un air stupéfait chaque fois que bébé le fait…

282 lui courir après

Qu'il se dandine sur ses deux pieds ou qu'il batifole à quatre pattes, bébé adorera que vous lui couriez après. Ne soyez pas trop brutal(e), il ne faut pas l'effrayer ! Motivez-le avec des mots d'encouragement, des bruits amusants et beaucoup de rire. Puis inversez les rôles.

283 plonger dans l'aventure

Et dire qu'il trouvait sa baignoire amusante ! Bien à l'abri dans vos bras, votre petit nageur peut commencer à goûter aux plaisirs de la piscine. Bougez ensemble dans l'eau et laissez-le ressentir cette impression de légèreté, et découvrir la joie d'éclabousser. (Ne jamais laisser un enfant sans surveillance dans une piscine ou à côté.)

284 au bain, les jouets !

Remplissez une cuvette d'eau chaude avec un peu de mousse pour permettre à bébé de donner le bain à ses « bébés » à lui, poupées, canards ou dinosaures en plastique. Surveillez-le bien, et ayez une serviette à portée de main pour les débordements.

285 verser, reverser, renverser

Bébé vous voit souvent verser du liquide : vous vous préparez une tasse de café, vous versez du lait dans son biberon ou de l'eau dans la gamelle du chat. Laissez-le essayer : quand il est dans la baignoire, il peut s'entraîner à verser avec des récipients en plastique. Il prendra conscience des tailles et des volumes tout en améliorant sa motricité fine.

 Gardez une pile de serviettes à portée de main pour que les éclaboussures ne présentent pas de risque de glissade.

286 des ballons à gogo

Quand bébé tire sur la ficelle de ballons gonflés à l'hélium, il est très intrigué. Choisissez des ballons en Mylar ; contrairement à ceux en latex, ils n'explosent pas et sont donc moins susceptibles d'être ingérés. Surveillez toujours bébé quand il joue avec des ballons et assurez-vous que les ficelles soient courtes pour qu'il ne risque pas de s'entortiller avec.

287 l'encourager

Quand on complimente un enfant (« Qu'est-ce que tu es gentil », « Comme tu es intelligente »…), on se concentre en général sur l'enfant lui-même. Mais quand on l'encourage, on met l'accent sur ses efforts : « C'était vraiment difficile de grimper en haut de cette colline » ou « Mais qu'est-ce que tu cours vite ! » La plupart des experts s'accordent à dire qu'il est préférable d'encourager un enfant plutôt que de le louer, parce que la louange incite l'enfant à toujours vouloir être « intelligent », « gentil » ou «fort», tandis que l'encouragement insiste sur ses actions. Commencez maintenant à donner à bébé le sentiment de sa compétence, alors qu'il commence à prendre conscience de lui-même en tant qu'individu.

288 trouver des outils à sa taille

Les bébés plus grands et les petits enfants adorent imiter la vie des adultes. Vous pouvez trouver votre tout-petit en train d'essayer de se brosser les cheveux, de ramasser des miettes ou de taper avec un marteau. Faites-lui plaisir sans danger en lui donnant des versions pour enfants des outils que vous utilisez dans la maison. Quand il joue à faire la cuisine ou qu'il s'affaire sur un établi pour enfant, il commence à développer un sens de l'imitation qui évoluera plus tard jusqu'aux jeux d'imagination.

9+ mois

289 l'emballer

Déroulez environ 120 cm de papier d'emballage par terre et posez bébé au milieu. Il aimera se rouler dedans, le déchirer, le froisser et s'en envelopper. Assurez-vous simplement qu'il n'arrache pas de morceaux et qu'il ne les porte pas à la bouche pour éviter tout risque d'étouffement.

290 ressortir les vieux hochets

Bébé est peut-être devenu trop grand pour certains de ses jouets mais les hochets l'amuseront sûrement d'une nouvelle façon. Cachez-les dans une boîte à chaussures, assemblez-les en une ribambelle de hochets ou empilez-les.

9+
mois

293 inverser les rôles

Vers l'âge de neuf mois, les bébés commencent à imiter les adultes ou les enfants plus âgés de leur entourage, et ils aiment s'occuper d'eux. Encouragez donc votre bébé à vous nourrir à la cuillère, à vous laver le visage et à vous brosser les cheveux. Cela lui permettra de donner des soins et non plus simplement d'en recevoir.

291 chevaucher un cheval à bascule

Votre petit cow-boy adorera se balancer tout seul sur un cheval de bois traditionnel. Placez sa monture sur un tapis épais ou sur l'herbe et restez toujours à côté de lui, en cas de ruades intempestives…

294 élargir son cercle de connaissances

Organisez des rencontres avec d'autres parents et leurs bébés. Même si bébé ne jouera pas avec d'autres enfants avant la fin de sa deuxième année, il prendra plaisir à les regarder et à les imiter. Et vous apprendrez aussi en observant d'autres bébés – et d'autres parents !

292 faire un puzzle

Incitez bébé à travailler son sens des relations dans l'espace et sa motricité fine avec des puzzles en bois. Commencez par un puzzle simple avec une seule pièce ; une fois qu'il le maîtrise, poursuivez avec un puzzle à deux puis quatre pièces. Recherchez des pièces faciles à encastrer et à sortir, des couleurs vives et des images ou des dessins assortis sur la planche. Montrez-lui comment encastrer les pièces.

295 lui masser les pieds

Offrez à bébé un massage relaxant de pieds avant qu'il ne se couche. Massez doucement la plante de chaque pied, puis faites des mouvements circulaires sur ses talons avec les pouces. Pour un massage plus apaisant, utilisez une lotion relaxante.

296 enregistrer un livre

Quand vous laissez votre enfant à un(e) baby-sitter, apaisez son angoisse de séparation en vous enregistrant en train de lire l'un de ses livres préférés. Il adorera entendre votre voix alors que vous n'êtes pas là. Pour l'heure de la sieste, enregistrez plusieurs livres à la suite pour qu'il puisse les écouter en s'endormant.

298 attraper tout ce qui traîne

Bébé cherche à attraper les objets de tous les jours, comme des verres, des cintres et des boîtes. Ces objets simples de la maison sont aussi efficaces que des jouets pédagogiques high-tech pour lui permettre de pratiquer sa motricité et pour se lancer dans des jeux d'imitation.

9+ mois

297 lui apprendre le rythme

Les bébés sont capables de percevoir les rythmes et deviner ce qui va suivre dans une séquence rythmique, même s'ils ne peuvent pas toujours reproduire cette séquence. Tapez deux fois dans les mains puis recommencez. La reconnaissance de séquences est essentielle pour apprendre à parler, à lire et à apprécier la musique.

299 jouer à la plage

Avec une bonne protection solaire et une surveillance attentive, la plage est une destination idéale pour bébé et vous. Il peut creuser dans le sable, jouer à éclabousser dans l'eau, regarder les oiseaux et aller se baigner, dans les bras d'un adulte, évidemment.

300 faire un tour en couverture

Faites asseoir votre enfant sur une couverture, ou bien allongez-le, puis tirez doucement la couverture. Essayez plusieurs directions. Si vous prenez à bord un enfant plus âgé, il pourra s'assurer que bébé ne tombe pas, et le plaisir n'en sera que redoublé !

301 lui parler de ce qu'il a fait

Parler de ce qui s'est produit dans le passé aide bébé à construire sa mémoire. Mais ne vous contentez pas de banalités, ou de questions auxquelles on répond par oui ou par non, comme : « Tu as aimé ton goûter aujourd'hui ? » Évoquez plutôt le côté actif et relationnel. Par exemple, parlez tous les jours de ce que vous avez fait ensemble, des endroits où vous êtes allés et des personnes que vous avez vues : « Quand on a joué au parc avec ton ami Paul, un gros chien noir t'a léché les orteils ! » Avec le temps, à mesure que vous lui répéterez les histoires les plus marquantes, votre enfant commencera à construire ce que les psychologues appellent une « mémoire autobiographique ».

302 empiler les récipients

Montrez à bébé comment placer en équilibre des récipients en plastique de tailles différentes, et comment glisser les petits dans les grands. Mais n'oubliez pas qu'il les fera dégringoler avant de savoir les empiler…

303 à la découverte des textures

Les objets de la vie quotidienne font souvent les meilleurs jouets, et chacun d'eux a un toucher différent. Rassemblez un assortiment d'objets avec des textures inhabituelles : surface lisse, rugueuse, glissante, bosselée… et encouragez votre enfant à les toucher et à comparer ce qu'il ressent.

304 lire, relire, rerelire

Les bébés aiment la répétition. Essayez de garder un peu d'entrain, même si vous avez déjà lu l'histoire du bonhomme de neige une centaine de fois. La répétition aide bébé à associer les mots aux images, ce qui représente un pas essentiel pour le développement du langage. Et il se sent plus en sécurité quand il sait ce que réserve la page suivante.

305 découvrir la joie des aimants

Vous avez besoin d'occuper bébé pendant que vous faites la cuisine ? Posez de gros aimants colorés sur la partie inférieure de votre réfrigérateur ou sur un tableau magnétique. Il pourra les enlever et les remettre. (Évitez les petits aimants qui peuvent présenter un risque d'étouffement.)

9+ mois

306 jouer au bonneteau

Vous pouvez jouer avec bébé à une version plus lente et plus simple du bonneteau. Montrez à votre enfant que vous cachez un petit jouet ou une balle sous un verre en plastique opaque. Puis retournez un autre verre. Déplacez lentement les verres, et demandez-lui de trouver le jouet. Il ne le trouvera peut-être pas tout de suite mais, si vous déplacez les verres très lentement, bébé finira par être capable de deviner. Cette activité l'aide à renforcer sa capacité à suivre un objet des yeux et à développer sa concentration.

Jouez à faire lentement bouger un objet pour aider bébé à renforcer son aptitude à suivre avec les yeux.

307 lui masser la tête

Quand votre tout-petit est calme, chouchoutez-le en lui massant la tête. Caressez-lui doucement le visage le long de l'arête du nez, puis passez sur le front jusqu'aux tempes. Ensuite, partez du nez et passez sur les joues. Terminez en lui massant les côtés du visage, y compris les oreilles, et enfin l'arrière de la tête. Recommencez s'il apprécie vos efforts.

308 revoir l'ameublement

La phase où les bébés s'accrochent aux meubles ou à des jambes humaines pour s'aider quand ils se déplacent d'un endroit à un autre est cruciale dans l'apprentissage de la marche, car elle leur donne l'occasion de s'entraîner à faire des pas. Aidez votre enfant en assemblant une chaîne de meubles solides qui va d'un bout de la pièce à l'autre. Éloignez de ses mains avides les objets fragiles, lampes, pieds de table branlants ou plantes en pots. La pièce aura peut-être un drôle d'aspect, mais la plupart des bébés dépassent cette phase relativement vite. Et la joie qu'il ressentira en étant capable de se déplacer sur ses deux pieds compensera largement le dérangement.

309 voir la vie en jaune

Essayez de voir le monde en jaune pendant une journée : désignez tous les objets jaunes que vous voyez. Vous pouvez poursuivre avec des journées vertes, orange ou violettes…

310 et on déchire !

Avant de jeter vos magazines, donnez-en un ou deux à bébé pour qu'il découvre une nouvelle activité : l'arrachage de pages ! Les bébés adorent le bruit produit et cela les aide à développer à la fois la motricité globale et la motricité fine. Surveillez-le de près pour qu'il ne mette pas de papier dans la bouche.

311 cacher le jouet

Attachez un long ruban à l'un de ses petits jouets préférés, puis, sous ses yeux, cachez le jouet sous le canapé. Aidez-le à tirer le ruban pour le faire réapparaître. Peut-il récupérer le jouet tout seul ?

312 chanter la chanson des couleurs

Apprenez les couleurs à bébé en lui chantant cette chanson tout en lui dessinant les poules :

C'est la poule grise,
Qui pond dans l'église,
C'est la poule noire,
Qui pond dans l'armoire,
C'est la poule brune,
Qui pond sur la lune
C'est la poule blanche
Qui pond sur la planche.

313 jouer avec des couvercles

Laissez bébé pratiquer sa dextérité manuelle avec de gros récipients en plastique dont le couvercle se visse. Posez un couvercle sur un récipient. Montrez-lui comment le visser et le dévisser, et laissez-le faire.

314 détourner son attention

Vous n'arrivez pas à empêcher bébé de fouiller dans la corbeille à papier ou de dérouler le papier toilette ? Vous dites « non » encore et encore, mais la tentation est la plus forte. Essayez de dire « non » juste une fois ou deux, puis détournez son attention avec quelque chose d'aussi intéressant. S'il farfouille dans la poubelle, par exemple, donnez-lui un coffre à jouets à explorer.

315 monter à l'échelle

Ramper et grimper sont des mouvements semblables, mais l'un à horizontale et l'autre à la verticale. Montrez à bébé comment monter les barreaux d'une échelle, comme celle d'un toboggan, avec les mains et les pieds. Restez derrière lui et guidez-le en permanence. Bientôt il grimpera tout seul en haut de l'échelle.

316 inviter les jouets à prendre le thé

9+ mois

Quand bébé aura appris à quoi sert une tasse, montrez-lui comment donner à son nounours ou à sa poupée une gorgée de son eau ou de son (faux) thé. Il rira peut-être, et il pourra même reproduire ce moment passé à faire semblant, annonçant ainsi tous les jeux d'imagination à venir.

317 arroser ensemble les plantes

Bébé adore vous imiter et l'eau le fascine. Quel meilleur moyen de l'amuser que de le laisser arroser les plantes du jardin ? Aidez-le à tenir l'arrosoir ou (ce qui sera encore plus amusant) utilisez un tuyau d'arrosage. Bien sûr, l'eau ira surtout sur ses pieds (et sur les vôtres), pas sur les plantes, mais il aimera avoir l'impression d'être une grande personne – et être un peu mouillé !

318 construire un château de sable

Il aura besoin de vous pour le gros œuvre, mais votre architecte en herbe peut remplir tout seul un seau avec du sable ou juste entasser des poignées de sable. La stimulation tactile du sable est irrésistible, et le travail d'équipe jette les bases des jeux coopératifs à venir.

319 lui montrer les parties du corps

Partagez cette chanson avec bébé en lui montrant les mouvements en chantant. Puis répétez la chanson et aidez-le à se concentrer sur les parties de son propre corps en faisant bouger l'endroit évoqué.

Un petit pouce qui bouge (ter)
Et ça suffit pour m'amuser.
Une petite main qui bouge (ter)
Et ça suffit pour m'amuser.
Un petit bras… etc.

320 lui apprendre « Jacques a dit »

Bébé est trop jeune pour jouer à ce jeu selon les règles en vigueur dans les cours de récréation. Mais une version simplifiée lui apprendra à écouter des instructions orales et à y obéir. Utilisez d'abord des ordres simples, comme « Jacques a dit : touche tes orteils », ou « Jacques a dit : ouvre la bouche ». Montrez toujours à bébé ce que vous attendez de lui pour qu'il puisse essayer de vous imiter.

321 profiter d'un peu de lecture tranquille

Pour développer l'amour des livres chez votre tout-petit, il est essentiel de lui faire la lecture. Et s'il veut regarder les livres tout seul, laissez-le faire. Cela montre que sa capacité de concentration augmente.

322 les deux font la paire

Transformez le tas de chaussures en une expérience éducative. Tendez une chaussure à bébé et demandez-lui de vous aider à trouver l'autre. Commencez avec une paire ; quand bébé maîtrisera ce jeu, ajoutez-en d'autres.

323 et on pédale !

À un an, bébé est prêt à se joindre à vous
pour un tour à vélo, dès lors qu'il porte
un casque et qu'il est bien
assis dans un siège pour enfant
ou une carriole homologués.
Allez sur des pistes cyclables
ou des routes peu fréquentées,
et arrêtez-vous souvent
pour parler de ce que vous
voyez – et pour vérifier
que tout va bien.

324 emballer de vieux amis

Bébé aimera peut-être revoir de vieux amis.
Si vous emballez quelques vieux jouets
dans du papier-cadeau, il pourra s'amuser
en froissant le papier et en le déchirant
– mais attention qu'il ne le mange pas !

325 jeu de balle

Les balles comptent parmi les jouets
préférés des enfants. Montrez au vôtre
toutes possibilités du jeu : lancer, rouler,
rebondir…

326 baby cross

Une course d'obstacles peut aider votre tout-petit
à améliorer son sens de l'équilibre
et la coordination entre l'œil et le pied.
Disposez de petits cubes ou un manche
à balai pour qu'il puisse
les enjamber, des cerceaux
pour qu'il puisse les traverser.
Aidez-le s'il en a besoin :
il s'agit de l'aider à mieux
marcher, non de le tester.

9+
mois

327 visiter un musée

9+ mois

Même s'il ne peut pas encore apprécier la naissance de la perspective à la Renaissance, ou les choses étranges que les cubistes ont fait subir au corps humain, votre petit curieux s'émerveillera devant les couleurs et les formes exposées dans un musée. Et les couloirs qui relient les salles sont un endroit idéal pour s'entraîner à marcher ! Essayez d'éviter les heures de pointe, et coupez la visite d'un tour au café ou dehors pour qu'il ne s'ennuie pas ou ne soit pas trop stimulé.

328 dire « bonne nuit »

Pour rendre plus facile l'heure du coucher, faites le tour de la maison avec bébé pour dire bonne nuit aux objets familiers : « Bonne nuit, nounours. Bonne nuit, canapé. Bonne nuit, brosse à dents. Bonne nuit, lit de papa et maman », etc. Cela crée un rituel apaisant pour bébé et l'aide à élargir son vocabulaire.

329 toucher et parler

Aidez bébé à développer son sens du toucher. Remplissez un grand récipient en plastique d'objets au toucher très caractéristique, comme un chien en peluche, un poisson en plastique et une balle en caoutchouc. Quand bébé s'amuse à les sortir un par un du récipient, parlez-lui de ce qu'il touche : « Qu'il est doux, ce petit chien. »

330 chanter les kilomètres à pied

Félicitez votre apprenti marcheur avec cette célèbre chanson sur l'une des étapes les plus importantes de ses apprentissages :

Un kilomètre à pied, ça use, ça use,
Un kilomètre à pied, ça use les souliers.
Deux kilomètres à pied…

331 faire des pompes à balai

Pour renforcer les mains de bébé, ses bras,
la partie supérieure de son torse et son dos,
tenez un manche à balai horizontalement
devant lui, laissez-le attraper le manche
des deux mains et soulevez-le lentement
d'une dizaine de centimètres au-dessus
du sol (pour qu'il ne se fasse pas mal
s'il lâche). Avec un peu d'entraînement,
bébé pourra se maintenir suspendu.

332 jouer avec de faux aliments

Maintenant que bébé commence à manger
tout seul, préparez avec lui un faux repas,
avec des aliments et des ustensiles en plastique.
Utilisez de gros morceaux de « nourriture »
qui ne présentent aucun risque d'étouffement.

*Les jeux qui consistent à « faire semblant »
sont un excellent moyen de stimuler l'imagination
de votre bébé.*

333 se rappeler ses premiers mots

Qu'il s'agisse de « oie » pour « au revoir »,
de « ba » pour « bras » ou de « tè » pour « chaise »,
faites une liste des premiers mots de bébé,
ou même enregistrez-les sur une cassette
ou un CD pour en conserver le souvenir.

334 faire parler des marionnettes

9+ mois

Les spectacles de marionnettes sont très utiles
pour montrer à bébé comment se déroule
une conversation, que ce soit entre une marionnette
et lui ou entre marionnettes. Ces spectacles
permettent aussi d'exprimer ses émotions.
Quand votre enfant grandira,
il voudra peut-être faire
parler les marionnettes
pour dire des choses
qu'il a peur
de formuler
directement.
Encouragez
ce type de
dialogue.

12+

À partir de douze mois

Points de repère

Votre bébé devient un petit enfant et commence peut-être même à marcher tout seul.

- Il connaît son nom et y répond ; il commence aussi à dire de plus en plus de mots.

- Il se rappelle où sont ses jouets parce que sa mémoire à long terme se développe.

- En vous montrant des objets du doigt tout au long de la journée, il vous encourage à partager son point de vue.

Votre enfant entame sa deuxième année de vie. C'est un grand scientifique, un explorateur vaillant et un petit être de plus en plus indépendant. Il adore atteindre les objectifs qu'il se fixe - même s'ils sont aussi élémentaires qu'ouvrir et fermer une boîte - pour le simple plaisir de faire fonctionner les choses. Il est en train de découvrir qu'il existe tout un univers en dehors de vous et il est impatient d'explorer tout ce qu'il contient. Mais c'est grâce à votre soutien et à l'amour qu'il porte aux gens de son entourage qu'il peut acquérir le sentiment de sécurité dont il a besoin pour aborder en toute confiance les premières étapes de la construction de son propre univers.

335 leçon de physique

Donnez à votre enfant un plateau recouvert de céréales pour petit déjeuner et un gobelet en carton ou en plastique. Devant lui, remplissez le gobelet de céréales et faites-les-lui vider dans le plateau. Cette leçon de physique est idéale au moment du goûter.

338 des bruits rigolos

Faire du bruit avec sa bouche sur le ventre d'un petit peut être extrêmement amusant. Mettez-le debout devant vous ou allongé par terre, le ventre à l'air, et tenez-lui gentiment les mains. Soufflez en faisant du bruit contre son ventre, d'abord doucement, puis en soufflant plus fort. Plus vous ferez de bruit, plus il rira.

12+
mois

336 le petit train

Inventez une histoire que vous mettrez en scène avec vos doigts. Vous ferez rire votre enfant à coup sûr :

Le petit train grimpe le long de la montagne

Faites « marcher » vos doigts le long de l'un de ses bras,

Il fait « Tchou, tchou-ou » !

Tirez doucement le lobe de son oreille,

Et il redescend

Faites redescendre vos doigts le long de son bras jusqu'à la main, et repartez sur l'autre bras.

339 peindre avec les doigts

Peindre avec les doigts est une activité que tous les enfants adorent. Prévoyez un grand sac en papier ou une grande feuille de Kraft, de la peinture non toxique et installez votre enfant sur la pelouse ou sur le carrelage de la cuisine. C'est parti pour sa première œuvre d'art !

337 jouets à portée de main

Accrochez à son siège-auto quelques-uns de ses jouets préférés à l'aide d'un petit morceau de ruban ou de fil de plastique. Ainsi, il pourra toujours s'amuser en voiture.

340 un peu de gymnastique

Asseyez-vous par terre l'un en face de l'autre, jambes écartées, plantes des pieds les unes contre les autres de manière à former un losange. Prenez-vous les mains et étirez-vous mutuellement en douceur. Penchez-vous lentement en arrière (pas trop loin) en tirant votre enfant vers vous, puis faites l'inverse et laissez-vous tirer par votre enfant qui se penche à son tour en arrière. Retrouvez-vous au milieu et faites-vous un bisou.

341 le jeu du petit singe

Les petits aiment bien imiter des gestes simples. Chacun votre tour, mimez les gestes de l'autre : touchez-vous le nez et mettez les mains sur vos yeux par exemple. Pour que le jeu ne dure pas trop longtemps, choisissez un mot-code qui indiquera qu'il est terminé.

342 des pages faciles à tourner

Les pages des livres sont parfois difficiles à tourner pour des petits doigts. Percez des trous en haut de chaque page, passez un fil dedans, puis faites un nœud et coupez ce qui dépasse. Les pages seront séparées par les petites bosses des nœuds et donc plus faciles à manipuler.

343 symphonie culinaire

Installez-vous dans la cuisine et donnez à votre enfant des cuillères en métal et des casseroles à faire tinter, des récipients en plastique à jeter par terre et des boîtes fermées, remplies de céréales ou de pâtes qu'il pourra secouer à sa guise.

12+
mois

344 des envies d'exploration

Laissez votre tout-petit accéder – sous votre surveillance – à toutes sortes de tiroirs, portes et boîtes. Mais attention, plus il sera habile à les ouvrir, plus il sera impératif de mettre sous clé tout ce qui est dangereux ou fragile. Consacrez par exemple l'un des tiroirs de la cuisine à votre enfant et laissez-le y mettre ses jouets et les ustensiles inoffensifs avec lesquels il peut jouer.

Consacrez une étagère de la cuisine à votre enfant ; remplissez-la de ses jouets et d'une dînette avec laquelle il pourra jouer.

345 jeu de mains

Assis face à face, chantez en lui montrant
les gestes à reproduire :

Mes p'tites mains tapent, tapent

Elles tapent en haut

Elles tapent en bas

Elles tapent par-ci

Elles tapent par-là.

Mes p'tites mains frottent, frottent

Elles frottent en haut

Poursuivez comme dans le premier
couplet.

Mes p'tites mains tournent, tournent
Elles tournent en haut…

Idem.

346 un chouette chapeau

Avec un sac en papier, on obtient en un clin d'œil
un chapeau. Prenez un petit sac en papier kraft,
découpez les poignées. Aidez votre enfant à le décorer
avec des feutres non toxiques, en vous arrêtant
à 15 cm du haut du sac. Roulez le haut comme le bas
d'un pantalon et voilà, votre enfant peut enfiler
son joli chapeau !

347 même pas peur du coiffeur

Votre enfant supportera mieux sa première coupe
de cheveux si vous l'emmenez dès maintenant
avec vous lorsque vous allez chez le coiffeur.
Faites-en un moment agréable – asseyez-le
sur un large fauteuil et laissez-le s'admirer
dans le grand miroir.

348 yoga à deux

Installez deux petits matelas en mousse
ou deux serviettes de plage sur le sol. Retirez
vos chaussures, mettez de la musique apaisante,
sortez votre livre ou DVD de yoga et commencez
à vous étirer ensemble. Insistez davantage
sur le côté ludique que sur le côté sportif.
Peu importe que vous ne teniez pas les postures
plus de quelques secondes, votre enfant appréciera
certainement celles imitant les animaux (le Chien,
le Cobra ou encore le Chat). Finissez par la posture
du bébé heureux - vous pouvez l'adopter
vous aussi !

349 du linge, pour s'amuser

Les petits adorent aider. Quand vous triez
votre linge propre, demandez à votre enfant
de mettre les chaussettes ou les sous-vêtements
dans un tiroir ou d'empiler des serviettes
dans un panier à linge. Cela lui permettra d'utiliser
ses mains pour attraper les choses et les organiser,
et il aura l'impression de se rendre utile.

352 pourquoi pas du rock ?

Faites écouter à votre enfant des chansons qui ne sont pas strictement réservées aux petits. Les enfants adorent les chansons gaies, même si elles sont destinées à un public de « grands », et peuvent apprécier presque tous les genres musicaux. Faites un mélange de ce que vous aimez – jazz, country, rock ou pop – et faites-lui écouter des morceaux de temps en temps, en l'incitant à danser et à taper dans les mains en rythme. Au bout d'un moment, il aura ses préférés, et vous l'entendrez peut-être s'exclamer un jour, alors que vous écoutez la radio : « Mais c'est ma chanson ! »

350 gâteaux d'artiste

Faites-lui faire de la « peinture au doigt » sur de grands biscuits secs avec du yaourt ou de la confiture. Une fois qu'il a bien admiré son œuvre, il a le droit de la dévorer.

351 des tours de cubes

Votre enfant peut commencer à jouer avec des cubes ou autres petits éléments faciles à manipuler et à empiler. N'oubliez pas de vous exclamer quand sa « tour » s'effondre pour qu'il ne se sente pas frustré.

353 des noix sur l'eau

Remplissez une bassine d'eau à température ambiante et jetez-y une douzaine de noix dans leurs coquilles. Prévoyez aussi un gobelet en plastique et une passoire pour récupérer les noix. Excitez l'imagination de votre enfant : « C'est la famille Noix qui flotte là ? Ou des poissons dans la mer ? Ou des bateaux qui font la course ? » Attention : utilisez plutôt une bassine, car les noix mouillées risquent en décolorant de tacher votre baignoire ou votre lavabo. Surveillez toujours votre enfant quand il joue avec de l'eau et n'oubliez pas de vider la bassine à la fin du jeu.

354 de la musique en cuisine

Demandez à votre enfant de créer un « fond musical » lorsque vous êtes dans la cuisine. Mettez des céréales dans un grand récipient en plastique fermé et incitez-le à secouer. Vous pouvez aussi lui donner des cuillères en bois pour jouer du tambour sur sa boîte ou les frapper l'une contre l'autre.

355 bien commencer la journée

Les habitudes donnent aux enfants un sentiment rassurant de continuité et de prévisibilité. Suivre par exemple la même routine tous les matins permet de bien démarrer la journée et, si l'un des parents doit partir travailler, prépare le tout-petit à la séparation. Vous pouvez donc, par exemple entamer la journée par une chanson, par des étirements ou par prendre le journal dans la boîte aux lettres.

356 balade sur une couverture

Installez ses peluches sur une couverture et laissez votre enfant la tirer derrière lui dans la pièce. Faites-le ensuite s'asseoir dessus et promenez-le à son tour de la même façon.

 Regardez autrement les objets de tous les jours (coussins mous, boîtes vides) : on peut aussi s'amuser avec.

357 une nuit à la belle étoile

Collez quelques étoiles phosphorescentes au plafond, au-dessus de son lit. Laissez la lumière allumée suffisamment longtemps avant pour que les étoiles aient le temps de l'emmagasiner et puissent ensuite la restituer dans l'obscurité.

358 les pinces à linge

Donnez à votre enfant un récipient muni d'une large ouverture, par exemple une boîte de céréales vide, ainsi que des pinces à linge en bois (sans ressort, à l'ancienne). Incitez-le à remplir sa boîte avec les pinces pour ensuite les sortir une par une. Ensuite, il peut même se mettre debout et essayer de viser la boîte de plus haut.

359 le petit cheval gris

Faites sauter votre enfant sur vos genoux en récitant cette comptine. Augmentez peu à peu la cadence :
Quand Jeannot va à Paris
Sur son petit cheval gris
Il va : au pas, au pas, au pas
Quand Jeannot va à Rouen
Sur son petit cheval blanc
Il va : au trot, au trot, au trot
Quand Jeannot va à Quimper,
Sur son petit cheval vert
Il va : au galop, au galop, au galop !
À la fin, laissez-le glisser entre vos jambes.

360 les bonnes manières

En découvrant les codes qui régissent notre vie sociale, votre enfant a l'impression de faire partie du monde des adultes. Apprenez-lui à dire « s'il te/vous plaît » et « merci » dès qu'il prononce ses premiers mots, par exemple en jouant à vous passer des objets. N'oubliez pas de lui dire « merci » vous aussi !

361 au revoir !

Dire au revoir en agitant la main est un geste que la plupart des tout-petits savent reproduire très rapidement. C'est un bon exercice de coordination et surtout un signe de socialisation.

362 mon beau miroir

Les tout-petits adorent les miroirs. Demandez à votre enfant : « C'est qui, ce petit garçon dans le miroir ? » Observez sa réaction quand vous lui parlez de son reflet. Demandez-lui : « Où il est, le nez du petit garçon ? » S'il touche son nez et non celui reflété dans le miroir, c'est qu'il est capable de s'identifier en tant qu'individu unique.

363 leçon de feuilles

Ramassez des feuilles dans votre jardin ou dans un parc. Regardez-les ensemble, observez leur forme et leur structure. En automne, mettez des feuilles mortes dans un panier ou dans un récipient en plastique et faites-les sentir et toucher à votre enfant qui peut même les écraser entre ses doigts. Au printemps, cherchez les petites feuilles qui viennent de sortir. Ouvrez un bourgeon et montrez-lui le « bébé feuille » à l'intérieur.

364 petit marmiton

Donnez à votre enfant des tâches simples à exécuter pendant que vous êtes occupé(e) à la cuisine. Il adorera mettre des cuillères en bois dans un broc en plastique ou des oranges dans un panier. Même si ce n'est pas vraiment une aide pour vous, cela lui permet de travailler la coordination entre l'œil et la main.

365 chanson pour les jours de pluie

Les jours de pluie, faites-lui dépenser son énergie : chantez avec lui tout en marchant en rythme à travers la maison.

Y a une pie dans l'poirier
J'entends la pie qui chante
Y a une pie dans l'poirier
J'entends la pie chanter
J'entends, j'entends,
J'entends la pie qui chante

366 voyage en avion

Allongez-vous sur le dos et ramenez vos genoux sur votre poitrine, tibias parallèles au sol. Installez votre enfant sur vos jambes, en le mettant sur le ventre. Tenez-lui les mains et faites-le doucement « voler » comme un avion. Il ne doit pas avoir peur. Faites-le planer en douceur ou effectuer des piqués plus excitants.

367 une crêpe très spéciale

Avec des pépites de chocolat ou des fruits rouges, dessinez un visage sur une crêpe et demandez à votre enfant de nommer le nez, les yeux et la bouche au fur et à mesure que vous les disposez. Quand vous avez fini de jouer, faites-lui déguster la crêpe.

368 une couronne royale

Fabriquez une couronne pour votre petit roi. Découpez des fentes au milieu d'une feuille de papier - deux qui coupent le milieu de la feuille, puis deux qui les croisent, de manière à obtenir huit pointes espacées de manière régulière. Laissez-le colorier la feuille avec des feutres non toxiques ou des crayons de cire. Relevez ensuite les pointes pour les dresser tout autour de la couronne.

 Laisser son enfant jouer au roi tout-puissant favorise aussi l'estime de soi.

369 les objets flottants

Remplissez une bassine (ou une pataugeoire, s'il fait beau) d'eau. Gardez en permanence l'œil sur votre enfant. Donnez-lui plusieurs objets et demandez-lui de vérifier lui-même s'ils flottent ou non : un bouchon, une pomme de terre… Essayez différents jouets et objets ménagers, puis triez-les ensemble en fonction de ce qui se passe quand il les met dans l'eau.

370 une jolie chanson à chanter ensemble

À son âge, votre enfant a sûrement déjà à son répertoire quelques chansons qu'il aime particulièrement. Passez du temps à les chanter avec lui plusieurs fois. Chantez-en la mélodie lèvres fermées et incitez-le à en prononcer les mots. Ou laissez-le terminer la chanson avec ses propres mots.

371 un bébé bien bordé

Aidez votre enfant à préparer un lit douillet pour une poupée ou une peluche avec une boîte à chaussures et l'une de ses couvertures de bébé. Au moment de la sieste ou du coucher, votre enfant va d'abord border son propre « bébé ».

372 au marché

Apprenez à votre enfant le nom des fruits et des légumes en l'emmenant souvent au marché. Les couleurs, les odeurs et l'agitation l'amuseront beaucoup. Chantez ensemble :
Une, c'est pour toi la prune
Deux, c'est pour toi les œufs
Trois, c'est pour toi la noix
Quatre, c'est pour toi le chocolat

373 le réconforter

Quand votre tout-petit est grognon ou de mauvaise humeur, aidez-le à reprendre le dessus en lui faisant un câlin. Votre soutien l'aide à affronter le monde à nouveau – ou à terminer ce puzzle !

374 un repas détendu

Vous voulez que les repas restent un moment de détente et éviter d'entrer dans un rapport de force chaque fois que vous passez à table ? Ce n'est pas parce qu'un enfant a un appétit d'oiseau qu'il ne peut pas s'épanouir. Ne lui demandez pas de vider systématiquement son assiette ; il doit apprendre à écouter son corps et à s'arrêter quand il n'a plus faim, ce qui est plus sain que de manger alors qu'il n'en a pas envie ou besoin. Il est parfaitement normal que votre enfant traverse des périodes où quelques bouchées lui suffisent et d'autres où il dévorerait tout ce qu'il a devant les yeux !

375 mini-cours d'anatomie

Si votre enfant sait déjà montrer du doigt les parties du corps telles que les oreilles, les yeux et les jambes, demandez-lui de les nommer quand vous posez le doigt dessus. Dites-lui : « C'est quoi, ça ? », puis approuvez ensuite sa réponse : « Oui, c'est bien. C'est ton nez. » Inversez ensuite les rôles et demandez-lui : « Et où il est, mon nez ? »

12+ mois

376 les poupées ont faim

Les enfants adorent apprendre à donner à manger aux bébés et apprécient particulièrement de s'occuper des plus jeunes. Cette activité les aide à développer l'empathie. Faire manger des poupées joue le même rôle et en plus, on peut les serrer contre soi...

377 le petit lac

Étalez une petite bâche dans l'herbe et créez une petite mare en la remplissant avec le tuyau d'arrosage. Installez-y des animaux en plastique, des bateaux et des poupées. Observez votre enfant régner avec plaisir sur son petit univers aquatique. Ne le laissez surtout pas sans surveillance.

378 les avions dans le ciel

Les avions fascinent les tout-petits. Cherchez un bon point d'observation (idéalement, dans un parc à proximité d'un aéroport) pour que votre enfant puisse les observer quand ils passent au-dessus de sa tête. Stimulez son imagination en réfléchissant ensemble : « Où peuvent-ils bien aller ? »

379 à la découverte des coccinelles

Cherchez des coccinelles dans le jardin ou fabriquez-en : tracez des points noirs sur des ronds de papier d'emballage rouge, et coloriez la tête en noir. Si vous en trouvez dehors, laissez votre enfant en prendre une doucement dans sa main. Expliquez-lui qu'elles sont très utiles dans les jardins car elles mangent les petites bêtes qui s'attaquent aux plantes. Elles ne mordent pas, même si elles pincent avec leurs minuscules mâchoires. Faites-lui respirer leur odeur. Elles ne sentent pas très bon, mais elles nous rendent tellement service !

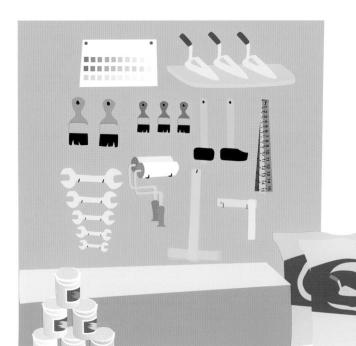

382 un petit tour au magasin de bricolage

Pourquoi ne pas organiser une petite visite
dans un magasin de bricolage un samedi matin ?
Humer l'odeur du bois fraîchement coupé, se laisser
éblouir par les échantillons de peinture, toucher
du papier de verre… Les expériences sensorielles ne
manquent pas.

12+ mois

380 berceuse pour petits câlins

Quand il est blotti contre vous, à moitié
endormi, chantez-lui :

Câlin ma câline, dors jusqu'à demain
Au creux de mes bras, au creux
de mes mains
Endors-toi ma câline, endors-toi mon câlin

381 lui préparer un parcours

Votre tout-petit adore explorer vos
meubles, ce qui est aussi un excellent
moyen d'accroître sa mobilité. Il aimera
particulièrement les objets mous, comme
les coussins, sur lesquels il peut grimper
à loisir et se faire sa propre course
d'obstacles – et ainsi développer
sa motricité.

384 petite pause dans un hamac

Quand il fait beau – même s'il fait frais, il suffit de prévoir une couverture douillette, pelotonnez-vous l'un contre l'autre dans un hamac. Balancez-vous tout en lisant une histoire ou en regardant simplement les branches des arbres danser au-dessus de vos têtes.

385 attention, chute d'objets

Ne vous énervez pas si votre tout-petit s'exerce à des expériences sur la gravité – autrement dit, s'il jette sa nourriture par terre du haut de sa chaise de bébé. Il est préférable de l'en dissuader en ignorant ce qu'il est en train de faire. En revanche, quand vous êtes à l'extérieur, canalisez son attention sur ce qui se passe quand il lâche quelque chose ou le jette au sol. Les gâteaux secs, les cailloux, les plumes et les bulles ne tombent pas de la même façon, et le cerveau de votre petit scientifique ne manquera pas d'enregistrer toutes ces informations.

383 la librairie, un endroit magique

La librairie est un endroit merveilleux pour s'amuser et apprendre en lisant. Vous pouvez y passer pour regarder les nouveautés, vous installer pour lire une histoire ou bien assister à une lecture. Même si vous avez du mal à en repartir sans rien avoir acheté, la librairie demeure une sortie bon marché qui intéresse beaucoup les petits.

386 des jouets bien rangés

Accrochez, à hauteur de votre enfant, un sac comportant plusieurs poches où vous aurez préalablement rangé des petites peluches. Amusez-vous à les trier ensemble en les alignant par espèce (tous les ours ensemble, par exemple), par taille ou par couleur.

387 la petite souris

Racontez à votre enfant cette histoire de souris. Ce sera une façon amusante de lui faire découvrir les notions de numération et de calcul.

La petite souris grimpe à l'horloge

Faites marcher vos doigts le long du bras gauche de votre enfant.

L'horloge sonne un coup

Tapez une fois dans vos mains au-dessus de sa tête.

La souris redescend

Faites marcher vos doigts jusqu'au bas de son bras droit.

Et ainsi de suite avec les chiffres suivants.

388 massage à domicile

Pour masser votre enfant et l'apaiser, laissez-lui simplement sa couche et allongez-le sur le ventre sur une serviette posée par terre. Chauffez un peu de lotion pour bébé dans vos mains et massez-lui le dos, des épaules à la taille. Tous les enfants ne réagissent pas de la même façon, mais ils apprécient en général une main ferme mais douce – ni trop brutale ni trop légère, et qui ne chatouille pas. Massez-lui ensuite les bras et les jambes. Il ne dort toujours pas ? Allongez-le sur le dos et recommencez.

389 munitions de crayons

Votre enfant risque de trouver le temps passé dans la salle d'attente du pédiatre un peu long et éprouvant. Prévoyez une boîte de crayons et des feuilles de papier avec lesquels il pourra dessiner et s'amuser.

390 un puzzle pas à pas

Pour le premier puzzle de votre enfant, donnez-lui d'abord une seule pièce, puis une autre et ainsi de suite jusqu'à ce qu'il puisse le réaliser en entier.

391 des jeux tests

Jouer avec son enfant permet de suivre son développement visuel et auditif. Déplacez les jouets d'avant en arrière et de part et d'autre de son champ de vision en vérifiant qu'il les suit bien des yeux. Pour tester son audition, chuchotez-lui quelque chose et assurez-vous qu'il a bien entendu et compris ce que vous lui avez dit. Si vous avez un doute, parlez-en à votre médecin.

En lisant des histoires, des comptines et des poèmes, vous aidez votre enfant à enrichir son vocabulaire et vous lui faites partager votre amour des livres.

392 interdit de mordre !

Avoir mal aux dents, ne pas pouvoir exprimer verbalement des émotions fortes ou même une certaine exubérance peuvent pousser un enfant à mordre (littéralement) la vie à pleines dents. Essayez de comprendre ce qu'il ressent, mais expliquez-lui qu'on ne peut pas s'exprimer en mordant les autres. S'il mord quelqu'un, dites-lui que cela ne se fait pas – en aucun cas.

393 pause !

De temps en temps, votre enfant a besoin d'un peu de temps « pour lui ». Laissez-le passer quelques instants tranquillement allongé sur une couverture à même le sol. Il se reposera d'une journée riche en activités.

394 bonjour les animaux

Faites une excursion au zoo ou dans une ferme d'élevage. Demandez-lui ensuite de nommer les animaux qu'il a vus et parlez-en ensemble.

395 un nid douillet

Il fait trop froid ou il pleut trop pour que votre enfant puisse sortir ? Réunissez tous les coussins que vous pourrez trouver et, comme un gros oiseau, construisez-lui un nid dans un coin tranquille. Ajoutez-y quelques peluches et une petite mangeoire avec des graines (céréales ou petits gâteaux secs). Proposez-lui cette activité au milieu de l'après-midi et préparez une couverture douillette pour border votre petit oiseau dans son nid...

396 cache-cache

Vers l'âge d'un an, votre enfant est capable de comprendre que vous êtes encore là même si vous vous cachez le visage derrière les mains. Mais ce jeu continue à beaucoup l'amuser parce qu'il est maintenant capable de lancer ce jeu lui-même. Compliquez-le un peu, en vous cachant derrière l'angle d'un mur ou derrière un journal par exemple.

397 exercice avec des céréales

Donnez à votre enfant l'occasion d'affiner la maîtrise de ses mains. Mettez une petite poignée de céréales sur un plateau et montrez-lui comment prendre chaque flocon un par un. Versez-en quelques-uns dans un bol, puis videz-le sur le plateau et laissez-le essayer à son tour.

398 éloge de la lenteur

Voici une petite chanson pour mettre en scène la famille Tortue :

Jamais on n'a vu
Jamais on ne verra
Faites non du doigt.
La famille Tortue
Courir après les rats
Faites courir votre index et votre majeur.
Le papa Tortue
Mimez le papa.
Et la maman Tortue
Mimez la maman.

Et les enfants Tortue
Montrez avec vos doigts une toute petite taille.
Iront toujours au pas
L'index et le majeur « marchent » tout doucement.

399 des livres à bonne hauteur

Il n'est pas toujours facile d'attraper un livre sur une étagère. Pour un tout-petit, il vaut mieux utiliser un panier posé par terre en guise de bibliothèque. Changez régulièrement les livres pour varier les lectures, ne lui en laissez pas trop mais ne retirez pas ses préférés d'un seul coup.

400 un chariot à pousser

Achetez à votre enfant un petit chariot muni d'une poignée haute – qui soit à la bonne hauteur pour qu'il le pousse devant lui en avançant. Ce genre de chariot (ou trotteur) lui permet de garder l'équilibre quand il marche et, avec un peu d'imagination, peut se transformer tour à tour en voiture ou en brouette quand il joue.

401 jeu d'adresse

Au début, il est plus facile de lancer que d'attraper, et un petit animal rempli de billes en plastique ou un foulard roulé sont plus aisés à manipuler qu'un ballon. Préparez-en quelques-uns, ainsi qu'un petit tapis. Dites à votre enfant de se mettre debout près du bord du tapis et de lancer sur celui-ci l'animal ou le foulard que vous lui aurez donné. Ensuite, éloignez le tapis pour accroître la difficulté.

402 la lecture plaisir

Donnez-lui envie de lire en montrant l'exemple.
Prévoyez des moments de lecture en famille,
où chacun sera plongé dans son livre.
Le tout-petit peut regarder un livre
tout seul ou lire avec l'un d'entre vous.
Ne quittez jamais la maison
sans emporter un livre
au cas où vous auriez
à attendre quelque part.
Au fil du temps, les livres
deviendront pour votre
enfant l'un de ses plus
grands plaisirs.

403 ne pas le forcer

Tout le monde aime les enfants souriants,
mais parfois votre tout-petit accueillera mal
les gentilles attentions de personnes inconnues,
surtout dans des situations nouvelles
ou dans de nouveaux endroits. Restez près de lui
et demandez-lui s'il a envie de dire « bonjour »
ou de faire « au revoir » de la main.
Avoir le choix l'aide à se sentir en confiance.

404 un marteau pour se défouler

Donner des coups de marteau est un jeu très
amusant qui permet à l'enfant de développer
la motricité fine et la coordination entre l'œil
et la main. Il existe des petits outils en plastique
sans danger – ce qui ne vous dispense pas
de le surveiller.

405 empreintes de pied à la peinture

Déroulez des grandes feuilles de papier sur un sol
lavable et versez de la peinture liquide non toxique
dans des assiettes en carton. Faites marcher
votre enfant pieds nus dans la peinture et faites-
le se déplacer sur le papier pour y « peindre »
ses empreintes. Utilisez son œuvre comme papier
cadeau ou accrochez-la.

406 pieds en liberté

Tant que votre enfant ne sait pas marcher
sans aide, il n'a pas besoin de vraies chaussures
(des chaussettes ou de petits chaussons
antidérapants suffisent pour tenir ses pieds
au chaud). S'il se déplace pieds nus dans l'herbe,
veillez à ce qu'il n'y ait ni cailloux tranchants,
ni morceaux de bois pointus, ni insectes qui piquent,
ni détritus. Sur la plage, prenez garde au sable
brûlant. Si vous suivez toutes ces précautions,
votre enfant pourra découvrir le plaisir
de marcher dans l'herbe molle ou au bord
de l'eau sur la plage, ou de piétiner
dans la boue après un orage.

407 décoder son humeur

Si votre enfant tourne la tête, vous repousse des mains ou passe son poing derrière son oreille, il a sûrement envie qu'on le laisse tranquille. Au contraire, s'il lève les bras vers vous, qu'il fait des grimaces ou qu'il est tout excité, c'est qu'il réclame votre attention.

408 promenade à cheval

Asseyez votre enfant sur vos genoux, face à vous, en lui tenant les mains. Chantez-lui la chanson de Kiri le Clown en le faisant sautiller en rythme :

Trotte, trotte ma jument
Vole, tu as des ailes
Cours bien vite dans le vent
Ohé la vie est belle…

409 on se salit

Parfois ça fait du bien de se salir. Votre tout-petit aimera utiliser de la peinture à doigts non toxique et adorera peut-être aussi jouer avec sa nourriture ou creuser dans la terre. Tout cela est fort amusant, mais il aimera peut-être aussi se nettoyer après.

410 un ballon, des ballons

Un ballon, c'est super, mais plusieurs ballons de tailles différentes, c'est mieux. Les enfants qui savent se tenir debout peuvent apprendre à taper dedans. Pour cela, un ballon en mousse ou de plage conviendra parfaitement. Le ballon peut être plus petit, mais évitez les balles avec lesquelles votre enfant risquerait de s'étouffer.

411 la chasse au trésor

Les petits aiment bien explorer leur univers, surtout s'il y a un trésor à la clé. Prenez une pelote de laine de couleur vive et déroulez le fil à travers la maison. Tout en le surveillant bien, aidez votre enfant à suivre cette piste : après sa chambre, le couloir, le virage pour entrer dans le salon, les boucles entre les chaises de la salle à manger et enfin, le bout du fil, caché dans une boîte ou un sac contenant une agréable surprise. Pour faciliter le jeu, il suffit qu'il ramasse le fil au fur et à mesure de sa progression.

412 des coiffures en mousse

Accrochez un miroir incassable au mur derrière le robinet de la baignoire. Pour que le bain soit plus amusant, utilisez la mousse de son shampooing (un qui ne pique pas les yeux) pour lui sculpter des coiffures. Faites preuve de créativité ; vous pouvez même l'affubler de cornes ou d'une barbe et d'une moustache.

413 le rituel du coucher

Mettez en place un rituel du soir qui permette à votre enfant de se calmer pour mieux s'endormir. Cela peut être une histoire et un câlin, quelques minutes de bavardage à voix basse ou un CD avec sa chanson préférée. Ce rituel sera un moyen de se dire « bonne nuit ».

414 un bac à sable d'intérieur

Versez une grande quantité de flocons d'avoine dans une cuvette en plastique. Donnez à votre enfant des gobelets et des cuillères, de petits animaux en plastique ou des voitures et des camions pour jouer.

C'est amusant de toucher. Laissez votre tout-petit explorer différentes textures : sable, farine, pâte à modeler…

415 le cri des animaux

Rassemblez plusieurs animaux en peluche et disposez-les en cercle autour de votre enfant. Appelez-les chacun après l'autre et demandez à votre enfant de reproduire leur cri. Par exemple : « Chien, c'est à ton tour – le chien fait… »

417 le prix du silence

Choisissez des musiques correspondant aux différentes activités et humeurs de votre enfant. Mais sachez aussi apprécier les moments où aucun bruit de fond ne vient l'empêcher d'écouter tous les sons qui emplissent son univers. Apprendre à apprécier le silence est un cadeau inestimable.

12+ mois

416 tous les doigts à la maison

Voici ma main

Présentez votre main doigts serrés,

Voici mes doigts

Écartez les doigts,

Le petit rentre chez toi, le moyen rentre chez toi

Repliez l'auriculaire, repliez l'annulaire,

Le grand rentre chez toi

Repliez le majeur.

Et toi ! Mets ton nez là !

Mettez le pouce contre le majeur toujours plié

et pliez l'index autour du pouce - qui représente le nez.

418 jeu de doigts

Maman lapin

Dressez et écartez l'index et le majeur d'une main,

Papa lapin

Idem avec l'autre main.

S'embrassent, s'embrassent

Les doigts dressés s'embrassent - bruitage.

Maman lapin

Dressez et écartez l'index et le majeur d'une main,

Papa lapin

Idem avec l'autre main.

Vont se cacher

Les « oreilles » de maman lapin se replient sur le poing,

Dans le jardin

Les « oreilles » de papa lapin se replient sur le poing.

Points de repère

Votre tout-petit écoute avec de plus en plus d'attention les conversations qui ont lieu autour de lui.

- Il affirme de plus en plus sa personnalité et vous fait clairement savoir ce qu'il veut.

- En parvenant à se servir d'une petite cuiller pour se nourrir, il devient plus indépendant et prend confiance en lui.

- Quand il se regarde dans un miroir, il commence à se reconnaître et à comprendre qu'il est unique.

L'âge de dix-huit mois marque une étape dans le développement de l'enfant. Grâce au vocabulaire qu'il acquiert, les vraies conversations deviennent possibles et permettent souvent les manifestations d'humour. Il est de plus en plus mobile ; l'inconvénient, c'est qu'il vous suit partout, car il veut vous montrer qu'il n'est pas encore prêt à trop s'éloigner de vous grâce à ce nouveau moyen de locomotion. Ses doigts de plus en plus agiles lui permettent de construire des châteaux, de lancer des ballons, de barbouiller des œuvres d'art, de cajoler le chat et d'attraper des insectes. Il veut essayer de tout faire tout seul mais il a encore besoin que vous restiez près de lui pour cela.

419 la dînette

L'imagination de votre enfant se développe
et son vocabulaire s'accroît, ce qui va vous
permettre maintenant d'organiser d'agréables
petits goûters. Laissez-le utiliser sa dînette pour servir
le « thé » à ses « invités ». Il ne s'agit pas seulement
de faire semblant, mais aussi de s'entraîner à bien
se comporter en société.

420 face aux autres

Votre enfant va calquer sur vous son comportement
et son aisance vis-à-vis des étrangers.
Alors montrez-lui l'exemple. Gardez-le près de vous
quand vous êtes hors de la maison afin qu'il puisse
observer et reproduire votre attitude en société.

421 pause poésie

Dame souris trotte
Noire dans le gris du soir,
Dame souris trotte,
Grise dans le noir.
On sonne la cloche :
Dormez les bons prisonniers,
On sonne la cloche,
Faut que vous dormiez.
Un nuage passe,
Il fait noir comme en un four,
Un nuage passe,
Tiens le petit jour !
Dame souris trotte,
Rose dans les rayons bleus,
Dame souris trotte,
Debout paresseux !
Paul Verlaine

422 « lecture » à deux

Votre enfant se déplace maintenant à sa guise.
Il a donc peut-être du mal à rester tranquille
quand vous lui lisez une histoire. Prenez-le
alors sur vos genoux et demandez-lui de vous faire
la « lecture ». Interrogez-le, par exemple :
« Qu'est-ce que tu vois là ? », « Oui, c'est bien
un chien ! Qu'est-ce que tu crois qu'il va faire
maintenant ? » Laissez-le tourner lui-même
la page quand il en a envie.

423 lecture rythmée

Pour votre enfant, la lecture ne se réduit pas aux mots que vous prononcez ou aux images qu'il voit. Aidez-le à améliorer ses compétences en la matière en le faisant bouger doucement au rythme des mots, et insistez sur leurs mélodies en répétant les mots qui s'harmonisent ou en tapotant sur son bras à chaque syllabe pour les détacher les unes des autres.

424 les bottes de Sept Lieues

Laissez votre enfant enfiler les chaussures de ses parents et essayer de marcher avec. C'est un exercice pour l'équilibre et un bon jeu d'imitation. Éclats de rire garantis !

425 des gobelets à tout faire

Voilà le jouet le plus intéressant - et le moins onéreux – que vous puissiez acheter : une série de gobelets en plastique. Votre enfant pourra simplement les empiler, mais aussi s'en servir pour jouer dans le sable, pour laver les cheveux de sa poupée, pour y faire flotter des objets minuscules, pour tracer des cercles...

426 le sac de voyage

Déposez dans un petit sac des crayons, du papier, une peluche, un livre, un jus de fruit... Votre enfant appréciera d'avoir tout son petit matériel sous la main pendant les longs voyages ou les trajets ennuyeux. Faites-lui bien comprendre que c'est SON sac – un jour, il le portera même tout seul !

18+ mois

427 le gâteau au yaourt

Les enfants adorent déguster ce qu'ils ont cuisiné eux-mêmes. Alors, pourquoi ne pas préparer avec votre enfant un délicieux gâteau au yaourt, ce grand classique des goûters d'anniversaire ? Il vous faut :

1 yaourt nature - 2 pots (le pot de yaourt) de sucre - 3 pots de farine - 1/2 pot d'huile - 4 œufs - un sachet de levure chimique - un sachet de sucre vanillé

Vos tâches : Mettre le four à préchauffer (200 °C). Casser les œufs dans un grand saladier. Remplir le pot de yaourt vide de sucre, puis de farine et enfin d'huile. Finir de mélanger tous les ingrédients et les verser dans le moule. Enfourner la préparation. Les tâches de votre enfant : Vider dans le saladier le pot de yaourt au fur et à mesure que vous le remplissez des divers ingrédients. Verser les sachets de levure et de sucre vanillé que vous aurez ouverts. Mélanger au fouet tous les ingrédients. Verser la préparation dans le moule.

Parlez des textures avec votre tout-petit. Cela l'aidera à comprendre les objets d'une manière tridimensionnelle

428 une ferme unique

Transformez une boîte à chaussures en ferme.
Recouvrez-la de papier d'emballage rouge,
découpez les deux battants de la porte de l'étable
et les fenêtres, et posez-la sur du papier d'emballage
vert. Ajoutez un silo fabriqué à partir d'une boîte
de céréales, des animaux de ferme plastifiés
et saupoudrez de fausse paille (des céréales)
pour créer un effet de réel.

429 des petits bobos sans importance

Aidez votre enfant à faire face aux inévitables petits
désagréments de la vie. Quand il tombe, asseyez-vous
à côté de lui ou prenez-le sur vos genoux. Admettez
qu'il puisse avoir mal mais n'en faites pas non plus
une montagne. S'il s'égratigne ou se coupe,
dédramatisez la situation. Si on doit lui faire
une piqûre, faites-le souffler le plus fort possible
au moment où la seringue le pique. S'il souffre
d'un problème médical plus important, par exemple
d'une otite ou d'une blessure qui nécessite des points
de suture, faites-vous son avocat et demandez
au médecin comment soulager sa douleur. Des études
ont démontré que la guérison est plus rapide quand
la douleur est bien traitée.

430 le plein de sensations

Rassemblez des petits morceaux de tissu
et de papier de différentes textures : velours, papier
de verre, soie, mouchoir en papier... Asseyez-vous
avec votre enfant et touchez tous les deux chaque
morceau un par un. « Il est doux, celui-là, non ?
Et le papier de verre, tu le trouves doux aussi ? »
Vous stimulerez ses sensations tactiles tout
en enrichissant son vocabulaire.

431 vive le sable

Donnez à votre enfant du sable et toutes sortes
de gobelets, entonnoirs, pots à épices vides
avec couvercle percé de petits trous et passoires.
Prévoyez aussi de l'eau et surveillez-le attentivement
pendant qu'il tente toutes les expériences tactiles
– verser, secouer, modeler – que le sable
peut offrir.

432 peinture « à l'eau »

Demandez à votre enfant de « peindre » l'extérieur
de la maison avec un seau d'eau et un pinceau.
C'est particulièrement amusant quand il fait chaud
– il peut même se rafraîchir en se peignant
lui-même, mais surveillez-le attentivement
quand il joue avec de l'eau.

433 tempête dans un évier

Remplissez l'évier d'eau tiède savonneuse et jetez-y quelques gobelets et bouteilles en plastique. Installez-le debout sur une chaise, appuyé contre le dossier pour qu'il soit plus stable et restez à côté de lui. Incitez-le à jouer dans l'évier aussi longtemps qu'il le souhaite, mais ne relâchez surtout pas votre vigilance.

436 opération de tri

Incitez votre enfant à réfléchir aux catégories de vêtements en lui faisant trier le linge propre. Faites-lui chercher toutes les chaussettes ou tous les tee-shirts et demandez-lui de les poser dans un panier pour que vous puissiez les plier.

434 des outils de tout-petits

Équipez votre enfant d'outils et d'appareils qui sont des versions miniatures de celles qui existent pour les adultes : petites pelles de jardin, ou mini-balais pour vous aider à faire le ménage. Les tout-petits aiment tellement apporter leur contribution aux tâches de la maison !

435 scotché !

Certains jours, votre tout-petit sera un explorateur intrépide ; d'autres, il vous suivra partout comme votre ombre, s'accrochant à vous pour être rassuré et câliné. Parlez de ses craintes avec lui, et dédramatisez les situations qu'il juge effrayantes.

18+
mois

438 à la plage

La plage est un endroit où votre enfant pourra se laisser envahir par diverses sensations : les bruits, les odeurs, les images, les textures. Protégez-le en lui appliquant régulièrement de la crème solaire et en lui mettant un tee-shirt et un chapeau à larges bords, et laissez-le explorer ce nouvel environnement. Jouer avec le sable, mettre les pieds dans l'eau, faire coucou aux mouettes, autant d'activités qui élargiront ses horizons sur le plan sensoriel.

439 des consignes à suivre

Maintenant que votre enfant connaît davantage de mots et qu'il sait faire appel à sa mémoire, jouer à suivre des ordres l'amusera. Pour les tâches faciles, vous pouvez accroître la difficulté en lui fournissant des instructions plus complexes.

18+ mois

437 la grande lessive

Les enfants adorent imiter leur maman et faire du nettoyage. Ils aiment aussi beaucoup les jeux d'eau. Proposez à votre enfant de combiner les trois et de faire une lessive pour laver ses vêtements de poupée. Donnez-lui une bassine d'eau tiède, un minuscule morceau de savon et une deuxième bassine d'eau claire pour rincer sa lessive (surtout, restez à côté pour le surveiller). Improvisez un fil à linge, faites-lui poser le linge sur une serviette pour qu'il sèche, ou aidez-le à le rentrer dans le sèche-linge.

440 des pions à croquer

Prenez un feutre non toxique et tracez une suite de gros points sur une feuille de papier kraft. Remplissez un bol de petits croûtons. Demandez à votre enfant d'en mettre un sur chaque point. Sa dextérité va s'améliorer au fil du temps et vous pourrez bientôt remplacer les croûtons par quelque chose de plus petit, comme du riz soufflé.

 Attraper des objets et les relâcher stimule la motricité fine qui lui sera utile pour dessiner et pour écrire.

441 les grelots

Cousez quelques gros grelots sur un élastique assez long pour former des bracelets à passer autour des chevilles et des poignets de votre enfant. Faites-le danser et taper dans ses mains pour les faire tinter. Ne le laissez jamais sans surveillance avec ses grelots.

442 un temps pour tout !

Votre enfant est à un âge où il trouve souvent plus drôle de retirer ses vêtements que de les mettre. Se balader tout nu peut être très amusant – aidez-le à se sentir à l'aise par rapport à ça, mais expliquez-lui aussi qu'il doit rester habillé presque partout. Laissez-le trotter tout nu dans votre jardin de temps en temps puisqu'il ne peut pas le faire quand il est au parc !

443 à table, les oiseaux !

Pour développer chez votre enfant l'amour des animaux, demandez-lui de vous aider à remplir les mangeoires des oiseaux. Proposez-lui de préparer une petite friandise en tartinant une pomme de pain de beurre et en la roulant dans des graines pour oiseaux.

444 une aide précieuse

Votre enfant sera ravi si vous lui demandez de faire de menus travaux dans la maison. Il peut, par exemple, ranger un torchon propre dans un tiroir, porter sa tasse incassable dans l'évier ou mettre le pain coupé dans la corbeille qui ira sur la table. Il a tout à fait l'âge de comprendre que chacun peut participer à sa façon et donner un coup de main aux autres. Mais il est certainement aussi capable d'ouvrir les placards et les boîtes, alors veillez à enfermer hors de sa portée tout ce qui pourrait être dangereux pour lui.

445 peinture à la ficelle

Coupez des morceaux de ficelle de différentes longueurs. Trempez-les dans de la peinture liquide non toxique versée dans des assiettes en carton. Aidez ensuite votre enfant à déplacer les ficelles pleines de peinture sur une feuille de papier pour tracer des dessins abstraits.

446 de l'art en bulles

Mélangez de la peinture liquide non toxique à un peu de liquide servant à faire des bulles et montrez à votre enfant comment souffler dans une « pipe à bulles » pour déposer tout un nuage de bulles colorées sur une feuille de papier.

447 retracer la journée

Chaque soir, parlez à votre enfant des aventures qu'il a vécues dans la journée. Cela fait travailler sa mémoire, et ça l'aide à se détendre. Posez-lui quelques questions pour l'aider à commencer.

448 bonjour les insectes !

Allongez-vous tous les deux dans l'herbe, sur le ventre, et délimitez un cercle devant vous à l'aide d'un ruban ou d'une ficelle. Cherchez toutes les petites bêtes qui se nichent dans ce petit univers. Sont-elles en train de manger ? De travailler ? Ou tout simplement de paresser ? Vous allez adorer cette activité !

449 un menu rien que pour lui

Fabriquez un menu : découpez dans des magazines des photos de plats (sains) qu'il aime et collez-les sur une feuille. Présentez-la à votre enfant au moment du repas et demandez-lui ce qu'il désire. Lui laisser le choix est un bon moyen d'accroître son autonomie mais limitez les possibilités pour éviter les grosses déceptions.

450 des vitres décorées

Collez de grandes décalcomanies sur les baies vitrées à hauteur des yeux de votre enfant. L'objectif est double : il verra la vitre et il enrichira son vocabulaire en commentant les dessins.

451 les joies du mirliton

Si votre enfant sait produire des sons bouche fermée, il est capable de faire de la musique avec un mirliton. Non seulement il vivra une nouvelle expérience musicale, mais il s'amusera à produire des effets sonores intéressants : il pourra faire vrombir ses voitures, faire caqueter ses animaux de basse-cour encore plus fort ou parler avec une voix nasillarde.

 Votre enfant commence à avoir le sens de l'humour et ne manquera de vous faire rire !

18+
mois

452 caché-trouvé

Sous le regard de votre enfant, cachez deux petits jouets dans la pièce et demandez-lui ensuite de les retrouver. Augmentez le nombre d'objets cachés pour rendre le jeu plus difficile, mais arrêtez-vous sur un succès.

453 ses premières décisions

Les tout-petits tiennent à leur indépendance, mais ils ont aussi besoin d'être cadrés. Si votre enfant veut choisir ses vêtements tout seul, limitez le choix : « Tu préfères la chemise bleue ou la blanche ? » S'il veut verser du lait dans ses céréales, donnez-lui-en dans une tasse, mais ne lui laissez pas la boîte entière. Conduisez-le à prendre des décisions : « Il faut qu'on aille à la bibliothèque et à la poste. Qu'est-ce que tu veux faire en premier ? »

454 tambourin maison

Prenez deux assiettes en carton et une poignée de céréales pour petit déjeuner afin de fabriquer un tambourin. Donnez des crayons à votre enfant pour qu'il décore le dessous des assiettes. Mettez ensuite des céréales sur l'une d'entre elles et collez les deux assiettes l'une contre l'autre à l'aide de colle non toxique, faces décorées vers l'extérieur. Percez des trous tout autour et passez-y un ruban. Mettez de la musique et en avant le mini musicien !

455 voyage en bus

Si vous avez l'habitude de vous déplacer en voiture, empruntez un autre mode de transport, en créant ainsi une sorte de petit voyage. Si vous habitez en ville, prenez un bus qui vous emmènera quelques arrêts plus loin, ou déplacez-vous en métro jusqu'au parc. Si vous vivez en dehors d'une ville, prenez le train jusqu'en ville ou un bac pour traverser un fleuve. Surveillez bien votre enfant. Ce genre de sortie exige que vous redoubliez de vigilance.

18+ mois

456 de l'art des bisous

Donner un baiser fait appel à la coordination et témoigne d'un certain degré de développement social et physique. Quand votre enfant vous rend un baiser, il contrôle le mouvement de ses lèvres, montre qu'il sait attendre son tour et qu'il est capable d'exprimer ses sentiments.

457 un terrain à quatre jambes

Quand vous jouez à vous lancer le ballon, asseyez-vous tous les deux jambes écartées, vos pieds contre les siens pour former un losange fermé. Faites rouler le ballon entre vos jambes, ainsi, il ne risquera pas de sortir du « terrain ».

458 un jardin qui pousse

Un peu de jardinage ? Oui, c'est possible !
Vous pouvez lui faire creuser des trous
avec des bâtonnets, y mettre des graines
et arroser ensuite ses plantations
avec un petit arrosoir.
Puis regardez ensemble
pousser ce que vous
avez planté.

459 de plus en plus haut

Votre enfant est certainement capable, désormais,
d'empiler ou d'emboîter six à huit briques. Aidez-le
à améliorer encore ses prouesses
– et ses notions de taille, de forme
et d'équilibre – en vous installant
par terre avec lui pour construire
un objet un peu plus élaboré,
comme un château
ou un gratte-ciel.

460 au pays des coussins

Aidez votre enfant à créer un coin à lui avec tous
les coussins qu'il pourra trouver dans la maison.
Mettez-les à la verticale pour former les murs,
empilez-les pour faire des tours et disposez-les
par terre pour faire des petits chemins. Si tout
s'écroule, il ne risque rien. Il suffit de reconstruire
à l'identique ou d'inventer une nouvelle
construction encore plus rigolote.

461 le plaisir des livres

Incitez votre enfant à regarder des livres tout seul
et à choisir ceux que vous allez lire ensemble.
Vous verrez qu'il ne se limite pas
toujours aux mêmes !

462 les trésors de la bibliothèque

Une visite à la bibliothèque peut apporter beaucoup
à votre enfant bien avant qu'il ne sache lire : n'hésitez
donc pas à vous y rendre régulièrement. Renseignez-
vous sur les lectures et animations prévues pour les
tout-petits, ou allez-y simplement pour feuilleter les
livres. Les coins réservés aux enfants sont en général
très calmes et permettent de s'installer confortablement
pour bouquiner. Au début, la notion d'emprunt est
difficile à comprendre pour un enfant, mais il sera
bientôt impatient de retourner à la bibliothèque pour
échanger ses « trésors » de la semaine précédente
contre de nouveaux.

463 colorier l'arc-en-ciel

Tracez les contours d'un arc-en-ciel sur une feuille de papier. Votre enfant le remplira avec ses doigts trempés dans un peu de peinture liquide non toxique.

464 sensations du bout des pieds

Donnez-lui l'occasion de faire une nouvelle expérience sensorielle. Installez de grandes bassines en plastique contenant différentes matières (de la boue, du sable, de la gelée). Regardez-le explorer - avec les pieds - un univers totalement nouveau pour lui.

465 le soutenir

Un tout-petit est très sensible aux réactions de ses parents ; il est donc vital de ne pas le punir ou de ne pas se moquer de lui s'il manque de confiance en lui ou s'il prend peur. Préparez-le à des situations potentiellement délicates en en parlant à l'avance. Puis passez ensemble à une activité qu'il maîtrise bien.

466 lui faire rencontrer d'autres petits joueurs

Les tout-petits sont fascinés par les autres enfants du même âge, et ils sont heureux de jouer les uns à côté des autres (ce qu'on appelle « les jeux en parallèle »). Cela étant, quand votre enfant joue avec d'autres, restez à côté de lui pour l'aider à changer de jouets et traitez ses compagnons de jeux comme lui-même aime être traité.

18+ mois

467 encore un jeu de main

Il était une fois une petite bête
**Avec votre index, chatouillez
la paume de sa main,**
Qui monte, qui monte, qui monte
chatouillez son bras,
Le premier l'a vue
**saisissez le pouce de l'une
de ses mains,**
Le deuxième l'a attrapée
saisissez son index,
Le troisième l'a fait cuire
saisissez son majeur,
Le quatrième l'a mangée
saisissez son annulaire,
Et le dernier a léché le plat
**saisissez l'auriculaire et frottez-le
contre sa paume.**

468 inventaire des jouets

La chambre de votre enfant doit contenir différents types de jouets comme par exemple : des briques ou cubes pour la motricité fine, des jouets à pousser pour la motricité en général, du matériel pour créer ou écouter de la musique, beaucoup de livres adaptés à son âge, des poupées et des peluches pour développer son instinct protecteur, et des objets tels que les voitures, les dînettes ou les déguisements pour l'inciter à vous imiter ou à faire travailler son imagination.

469 petite conversation

Tout en vous promenant dans votre quartier avec votre enfant, vous pouvez très bien stimuler son imagination et imaginer la vie des gens qui vous entourent. Arrêtez-vous par exemple devant une maison et essayez d'imaginer tous les deux ce qui peut bien s'y passer : « Je vois un landau. Tu crois qu'il y a un bébé ici ? Regarde la laisse : ils ont sûrement un petit chien ! »

470 le sac à livres

Achetez un sac de toile robuste pour transporter ses livres et personnalisez-le. Prenez de la peinture liquide non toxique et aidez-le à le décorer avec les empreintes de ses mains ou avec des tampons fabriqués à l'aide de pommes de terre coupées en deux. Marquez ensuite son nom avec un feutre pour tissu.

471 des pizzas en forme de tortue

Achetez ou préparez une boule de pâte à pain. Prenez-en les trois quarts et étalez-les pour obtenir un disque de 10 à 15 cm de diamètre : ce sera la carapace de la tortue. Coupez le reste de la pâte en six morceaux et modelez une tête ovale, quatre pattes et une queue. Collez-les à leur place en appuyant sur la pâte. Étalez de la sauce tomate sur la carapace de la tortue et laissez votre enfant la décorer avec du fromage râpé, des rondelles de poivron, des olives ou tout autre ingrédient. Plantez deux petits morceaux d'olive dans la tête de la tortue pour faire les yeux. Faites une pizza-tortue pour chaque membre de la famille, en laissant chacun choisir sa garniture. Préchauffez le four à 230°C et faites cuire 6 à 10 minutes, en jetant un œil régulièrement pour que les tortues ne brûlent pas.

472 la lanterne de papier

Demandez à votre enfant de décorer une feuille de papier avec des feutres non toxiques. Pliez la feuille en deux (décor vers l'extérieur) en diagonale, et découpez de longues fentes à intervalles réguliers le long du pli. Dépliez et roulez pour obtenir un tube. Maintenez les deux extrémités avec de la colle non toxique, posez le tube à la verticale et admirez.

473 un carton pour s'évader

Les tout-petits adorent jouer avec un grand carton, mais ne vous attendez pas cependant à ce qu'ils imaginent un jeu très compliqué. Votre petit appréciera le côté douillet de la boîte et éventuellement la petite sieste que vous lui laisserez faire sur une couverture à l'intérieur.

474 traits et gribouillis

Vers l'âge de dix-huit mois, l'enfant sait en général tenir un crayon (choisissez plutôt des crayons de cire, plus faciles à tenir dans sa petite main) et commence même à tracer sciemment des traits sur une feuille de papier. Montrez-lui comment tracer un trait horizontal et proposez-lui de vous imiter. Recommencez avec une ligne verticale. Si l'exercice lui plaît, apprenez-lui à faire une croix. Ensuite, laissez-le gribouiller à son aise. (Un conseil : placez un grand drap ou une grande feuille de kraft sous sa feuille de dessin.)

 Si votre enfant redécore vos murs, les marques de crayons de couleur s'en vont plus facilement quand on les chauffe avec un sèche-cheveux.

475 bateau sur l'eau

Pour travailler la motricité
et l'équilibre, rien de tel que
de ramer. Faites « ramer »
votre enfant, en chantant :

Bateau sur l'eau
La rivière, la rivière
Bateau sur l'eau
La meunière tombe dans l'eau

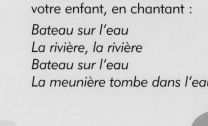

476 des tensions à évacuer

Parfois, après une journée loin de vous,
votre tout-petit peut craquer. Même s'il a passé
une excellente journée, il peut être fatigué
et avoir besoin d'évacuer toutes les sensations fortes
accumulées dans la journée. Et qui mieux que vous
peut partager ces impressions avec lui ?
Alors, s'il en a besoin, qu'il se laisse aller.

477 conversation avec une marionnette

Enfilez une marionnette à doigt et faites comme
si c'était elle qui posait à votre enfant des questions
sur ce qu'il a fait dans la journée. Ses réponses
vous surprendront peut-être.

478 comme au basket

Roulez des feuilles de papier assez rigide
de différentes tailles et scotchez-les
pour former trois cylindres
(un grand, un moyen et un petit)
dans lesquels votre enfant
va s'entraîner à viser. Donnez-lui
des objets mous et demandez-
lui de viser d'abord le panier le
plus proche, puis
de passer aux paniers
plus petits ou plus éloignés.

479 une ribambelle de sons

Prenez trois boîtes en plastique. Remplissez-en une
de boutons, une de grelots et une de marshmallows.
Fermez-les bien en scotchant le couvercle.
Donnez-les à votre enfant pour qu'il s'amuse
à produire différents sons en les secouant.

480 le « kit tranquillité »

Pour être sûr(e) d'avoir quelques instants
de tranquillité pendant un coup de fil important,
mettez à côté du téléphone un petit panier rempli
de jouets qui ne font pas de bruit pour occuper
votre enfant.

481 l'album photo

Créez ensemble un album photo de sa famille et de ses amis, rien que pour lui. Regardez-le avec lui : « Et là, qui est-ce ? Oui, c'est bien, c'est tante Pascale, c'est la maman de Thibaut. » Ce genre d'album est particulièrement recommandé quand la famille habite loin.

482 une chanson pour rire

Ce grand classique a toujours beaucoup de succès. Mettez-vous face à votre enfant et tenez chacun le menton de l'autre tout le temps de la chanson :

je te tiens, tu me tiens
Par la barbichette
Le premier de nous deux
Qui rira
Aura une tapette

483 comptine pour sauter sur les genoux

Prenez votre enfant sur les genoux et faites-le sauter en lui tenant les mains au rythme de la chanson :

Bonjour Guillaume, as-tu bien déjeuné ?
Mais oui madame, j'ai mangé du pâté
Du pâté d'alouette
Guillaume, Guillaumette
Chacun s'embrassera
Et Guillaume restera

18+
mois

484 ouvert ou fermé

À dix-huit mois, votre enfant fait des progrès en matière de motricité fine et d'autonomie, ce qui lui permet de participer quand on l'habille. Laissez-le s'entraîner à manipuler les boutons ou les fermetures Éclair sur une poupée par exemple. Il sera fier de pouvoir ensuite faire les choses tout seul.

485 premières lettres

Lorsque votre enfant atteint l'âge de dix-huit mois, vous pouvez commencer à lui montrer son nom écrit. Insistez sur la première lettre et citez-lui des mots qui commencent par la même lettre : « Ananas, ça commence comme Alice – écoute : A-A-A-Alice ! »

486 le chat et la lampe torche

Éteignez la lumière de la pièce et servez-vous d'une lampe torche pour jouer avec le chat : laissez-le essayer d'attraper le rayon de lumière que votre enfant déplacera à sa guise. Si votre enfant a peur de toucher le chat, cela peut être un bon moyen de l'approcher.

487 la nature en ville

Vous ne partez pas à la campagne ce week-end ? Pour vous divertir sans dépenser un sou, allez faire un tour dans une jardinerie, même s'il sera difficile de résister et de revenir les mains vides à la maison. Ayez l'œil sur votre enfant quand il parcourt les allées d'arbustes et de plantes. Pour un tout-petit, une serre pleine de feuilles, tout embrumée, ressemble un peu à la jungle amazonienne ; une rangée de cactus a des allures de monde mystérieux et les fontaines et abreuvoirs évoquent parfaitement une région de lacs.

488 le hit-parade des chouchous

Par moments, il n'y en a plus que pour maman. D'autres fois, pour papa. Ou pour la baby-sitter. Ne soyez pas vexé si votre enfant a une préférence marquée pour telle ou telle personne de son entourage. Il les découvre petit à petit et apprend à apprécier la personnalité de chacun.

489 dans la neige

Mélangez un colorant alimentaire sombre à de l'eau et mettez-la dans une bouteille en plastique bien rincée, munie d'un bouchon, comme ceux qu'on trouve sur les flacons de ketchup. Servez-vous-en pour « dessiner » sur la neige ou « habiller » un bonhomme de neige.

492 sa première ronde

Prenez les deux mains de votre enfant et faites la ronde à deux. À la dernière phrase de cette chanson, laissez-vous tomber par terre.

Dansons la capucine,
y'a pas de pain chez nous
Y'en a chez la voisine,
mais ce n'est pas pour nous
You les petits cailloux !

490 se cacher à tour de rôle

Votre tout-petit commence à bien savoir jouer à cache-cache ; apprenez-lui à se cacher. Il cachera surtout sa tête, sans penser que ses jambes ou ses doigts dépassent. Mais n'oubliez pas de prendre l'air surpris quand vous le « découvrirez ».

491 souffler un air

Prenez un tube de carton (de papier de cuisine par exemple) et bouchez-en l'une des extrémités. Votre enfant s'amusera beaucoup à jouer avec les différentes variations sonores.

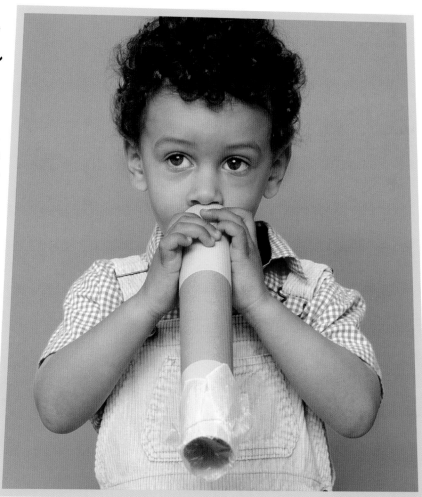

18+ mois

493 l'amour des dinosaures

18+
mois

Comment un être minuscule peut-il adorer une créature gigantesque ? Sans doute s'imagine-t-il dans son cerveau d'enfant qu'il est lui-même plus grand et plus fort qu'en réalité. Votre enfant apprécie peut-être déjà les figurines en forme de dinosaures. Quand il sera plus grand, il appréciera certainement aussi d'aller au musée voir des expositions sur les dinosaures.

494 un peu de magie

Versez un peu de lait dans un grand bol. Demandez à votre enfant de bien vous regarder déposer çà et là – sans remuer – quelques gouttes de colorant alimentaire à la surface du lait. Ajoutez ensuite une goutte de liquide vaisselle au centre du bol et hop ! un dessin apparaît sur le lait (à ne surtout pas boire).

495 des peurs imprévisibles

Les peurs de votre enfant sont imprévisibles : il peut adorer le chien du voisin et du jour au lendemain, se mettre à en avoir une peur bleue. N'y attachez pas trop d'importance. Lorsqu'il ne court aucun risque, expliquez-le-lui – et dites-lui que vous êtes là pour le protéger.

496 de l'art à manger

Proposez à votre enfant de peindre aux doigts avec de la crème dessert. Déshabillez-le, en lui laissant uniquement sa couche, et donnez-lui une barquette de crème dessert et des feuilles de papier pour créer des œuvres d'art sucrées.

Encouragez vivement votre artiste en herbe et donnez-lui la liberté de s'exprimer à sa façon.

497 un tee-shirt customisé

Coupez l'extrémité d'une botte de céleri
pour en faire un tampon. Montrez à votre enfant
comment s'en servir pour décorer un tee-shirt.
Trempez-le dans de la peinture non toxique,
et tamponnez-le sur le tee-shirt, en ayant pris soin
de placer un morceau de carton à l'intérieur.
Une fois que la peinture est sèche, passez
le vêtement au sèche-linge pour que le dessin
tienne plus longtemps.

498 l'alphabet en chanson

Certaines choses peuvent faire leur chemin
en douceur dans le cerveau de votre tout-petit.
Chantez-lui par exemple l'alphabet sous plusieurs
formes (berceuse, mélodie jazzy ou pop).
Quand il apprendra à lire, il se rendra compte
qu'il connaît déjà l'alphabet.

499 une séparation en douceur

Les manuels d'éducation parlent d'une angoisse
de la séparation chez le tout-petit (vers huit mois).
Votre enfant est sûrement passé par là.
Mais il peut encore lui arriver de rester accroché
à vous. Laissez-lui un peu plus de temps pour prendre
congé de vous quand vous le quittez.

500 le test du miroir

Cette activité devrait vous permettre de mieux
comprendre comment votre enfant se perçoit
et comment il perçoit le monde. Sans lui dire
ce que vous faites, dessinez un point avec
du rouge à lèvres ou de la peinture sur son front
ou son menton. Installez-le ensuite devant un miroir.
A-t-il le réflexe de toucher le point sur le miroir
ou de le toucher directement sur son visage ?
Vers l'âge de dix-huit mois, l'enfant passe
en principe spontanément du point sur le miroir
au point sur son visage. Quand votre enfant atteint
ce stade, c'est le signe qu'il commence à savoir
ce que « moi » signifie, à se percevoir en tant
qu'individu à part entière, distinct des autres gens.

501 vive l'aire de jeu !

Une aire de jeu offre beaucoup plus de possibilités
que vous ne pouvez en offrir à votre enfant
dans votre jardin. Le sol qui entoure les jeux
est fabriqué dans un matériau spécial qui limite
les blessures en cas de chute. Pour un tout-petit,
ce genre d'endroit, avec ses jeux, son labyrinthe,
son petit mur d'escalade et son bac à sable
est un vrai régal.

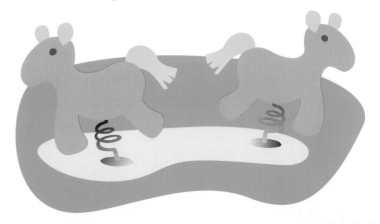

24+ À partir de vingt-quatre mois

Points de repère

La capacité de votre tout-petit à comprendre les mots et à les utiliser se développe très rapidement.

• En participant à des conversations plus élaborées, il améliore ses capacités langagières et communicatives.

• Regardez-le commencer à interagir avec d'autres enfants et à apprendre à partager.

• Encouragez-le à suivre une série d'instructions simples : en accomplissant des tâches grandes et petites, il prend confiance en lui.

Votre enfant est maintenant âgé de deux ans et sa personnalité s'affirme un peu plus chaque jour. À cet âge, l'enfant sait ce qu'il veut et il n'hésite pas à vous faire comprendre ce qu'il pense et ce qu'il a envie de faire. Mais il continue à percevoir le monde à travers vous ; vos idées et les relations que vous avez avec le monde qui vous entoure l'aident à se forger une opinion et un comportement. La tâche la plus importante pour lui est maintenant de se découvrir lui-même - de savoir ce qu'il aime et comment il peut s'impliquer dans son univers.

502 des animaux à dorloter

Il n'est pas trop tôt pour demander à votre enfant de s'occuper des animaux de la maison. Un enfant de deux ans est tout à fait capable de faire rouler une balle ou d'agiter un ruban devant les yeux du chat, ou de verser une mesure de croquettes dans la gamelle du chien. À cet âge-là, il prend aussi beaucoup de plaisir à féliciter ou à réconforter un animal domestique. Apprenez-lui à être patient et doux, expliquez-lui qu'on ne doit jamais déranger un animal en train de manger ou de dormir - et surveillez toujours ses rencontres avec les chiens et les chats. Gardez votre calme s'il se fait légèrement griffer par un chat qu'il a embêté ou mordiller par un chien – sinon, il risque d'en avoir peur.

503 le jeu des formes

Faites un jeu pour tester l'aptitude de votre enfant à reconnaître les formes. Commencez par une forme facile sur un livre d'images (« Est-ce que tu vois quelque chose qui ressemble à un rond ? »). Passez progressivement aux cercles, carrés et autres formes qu'il peut voir autour de lui. « Et ce vase ? Oui, c'est un rectangle. Et la lune ? »

504 non !

En ce moment, le mot préféré de votre enfant est certainement « non » – ce qui témoigne d'une volonté d'affirmer sa personnalité. Faites-lui comprendre la force de ce mot en lui posant des questions absurdes (« Est-ce qu'on marche sur l'eau ? ») auxquelles il vous répondra avec conviction : « Non ! ».

505 du tissu et de l'imagination

Donnez-lui quatre ou cinq morceaux de tissu, de textures et de couleurs différentes. Ils doivent être assez grands pour pouvoir se transformer en cape de toréador, en ailes de papillon, en nappe à pique-nique ou en couverture pour l'une de ses peluches. Vous serez surpris par l'imagination dont il peut faire preuve avec de simples bouts de tissu !

506 la voix de maman

Si votre enfant commence à faire semblant de lire ou s'il babille en suivant le texte, il a déjà franchi une grande étape dans la pré-lecture. Cela ne doit pas vous empêcher de continuer à lui lire des histoires. Au contraire, variez les plaisirs avec des enregistrements de ses livres préférés que vous aurez vous-même réalisés. Ainsi, il pourra vous écouter en votre absence.

507 des maracas maison

Aidez votre enfant à réaliser lui-même ses maracas en versant des haricots secs, des lentilles ou des grains de maïs pour pop-corn dans une petite bouteille en plastique. Collez ou scotchez le bouchon pour que la bouteille ne risque pas de s'ouvrir – les petits objets peuvent être dangereux s'il les avale ou se les met dans le nez ou les oreilles.

508 de la suite dans les idées

Votre enfant est désormais capable de reproduire des suites. Proposez-lui d'enfiler des perles. Donnez-lui des grosses perles en bois, et suggérez-lui une suite simple, par exemple : rond ; carré ; rond ; carré... Ou bien aidez-le à faire une suite de couleurs, par exemple vert ; bleu ; vert...

509 les odeurs

Grâce à son odorat, votre enfant peut reconnaître certaines choses. Dites-lui de fermer les yeux, et stimulez son odorat en lui demandant de sentir et d'identifier des aliments. Essayez par exemple la vanille, la cannelle et le cacao. Évitez le poivre et les épices fortes qui risquent de lui irriter le nez ou les yeux.

510 des mains partout

Recouvrez les mains de votre enfant de peinture liquide non toxique et demandez-lui de les poser à plat sur une feuille de papier. Les empreintes de main en elles-mêmes forment de jolis motifs, mais il peut aussi réaliser des dessins plus amusants, par exemple des tulipes (les doigts vers le haut, en ajoutant un trait de peinture verte au pinceau), des papillons (les deux mains se touchent par les poignets, les doigts pointés vers l'extérieur) ou un tournesol (plusieurs empreintes de mains jaunes, doigts écartés, avec un peu de marron au milieu).

511 au travail !

Quand vous jardinez, demandez à votre enfant de vous aider en ramassant ou bien en vous apportant des choses avec sa petite remorque. Dites-lui par exemple : « Tu veux bien remplir ta remorque de feuilles mortes et les emporter sur le tas s'il te plaît ? »

Demandez à votre tout-petit de vous aider pour de petites tâches. Cela stimule l'empathie et l'aide à acquérir de nouvelles aptitudes.

512 la toilette du chien

Si votre chien est bien élevé et docile, vous pouvez demander à votre enfant de vous aider à le laver un jour où il fait chaud. Animation garantie !
En principe, tout le monde profite du bain. Il vous faut : un chien, un enfant, un tuyau d'arrosage, du shampooing pour chien, des tonnes de serviettes et – indispensable – l'appareil photo.

513 plaisanter

Riez, et vous verrez que votre tout-petit rit avec vous. Les enfants ont un grand sens de l'absurde. Faites quelque chose d'insolite, comme d'offrir un gâteau à son coude.

514 les glaces à l'eau

Pour montrer à votre enfant la transformation que le froid peut opérer sur les choses, aidez-le à verser du jus de fruit dans des petits gobelets en carton. Mettez ensuite les verres au congélateur, en ajoutant des bâtonnets en bois dès que le mélange est suffisamment pris. Quand il gèle, il peut être drôle de placer les gobelets dehors.

515 petite énigme

Testez les capacités d'observation et la logique de votre enfant en plaçant trois peluches devant lui et en lui demandant de les observer. Demandez-lui ensuite de fermer les yeux et retirez-en une. Faites-lui ouvrir les yeux : il doit alors vous dire quelle peluche manque. Si le jeu devient trop facile, ajoutez d'autres nounours.

516 ballon et rebonds

Votre enfant commence sûrement à savoir faire rebondir un ballon ou à l'attraper quand vous le lui lancez doucement. Lancer un ballon reste difficile pour lui, alors ne vous préoccupez pas de savoir où il l'envoie. Rappelez-vous que les ballons mous sont plus faciles à manipuler pour ses petites mains.

517 l'hôpital des poupées

Les enfants de deux ans aiment bien s'occuper des autres. Souvent, ils apprécient aussi que l'on remette les choses abîmées en état. Encouragez l'instinct maternel de votre enfant et demandez-lui de vous aider à soigner les peluches et les poupées. Il peut les installer dans des petits lits – de simples boîtes à chaussures.

518 les cailloux peints

Ramassez quelques cailloux bien lisses et proposez à votre enfant de peindre des dessins abstraits ou de les transformer en petits animaux avec de la peinture non toxique.

519 on fait une pause

Parfois, votre tout-petit a besoin que vous l'aidiez à comprendre qu'il a besoin d'une pause. S'il est surexcité, prenez-le à part un instant. Laissez-le sucer son pouce ou câliner son doudou – ou faites-lui juste un câlin.

520 le monde à la loupe

Donnez à votre enfant une loupe en plastique pour qu'il puisse observer des choses qu'il ne pouvait pas voir auparavant. Grâce à sa loupe, il aura accès à l'infiniment petit, que ce soit dans la fourrure de son nounours ou dans l'herbe du jardin. Il se peut même que sa loupe devienne l'un de ses objets les plus précieux.

24+ mois

521 le restaurant des oiseaux

Ouvrez un restaurant pour oiseaux.
Mettez deux ou trois mangeoires
dans votre jardin, en prenant soin
d'en placer une près de la fenêtre
de la chambre de votre enfant.
Proposez-lui de vous aider à les remplir
régulièrement de graines pour oiseaux.
Procurez-vous à la bibliothèque un livre
d'ornithologie pour enfants et apprenez-
lui le nom de ceux qui s'invitent le plus
souvent dans votre « restaurant ».

522 les marionnettes improvisées

Prenez un feutre non toxique et dessinez
des visages sur le bout des index de votre enfant.
Il pourra s'amuser tout seul en inventant
une conversation entre ses deux doigts.

523 la star, c'est lui

Aidez votre enfant à s'affirmer : filmez-le
quand il chante une chanson ou raconte une histoire.
Montrez-lui ensuite le film pour qu'il puisse se voir
en pleine action.

524 séance de percussions

Rassemblez quelques « instruments » à percussion
dans votre jardin ou dans une salle de jeux :
paquets de céréales, pots et casseroles, seau
en fer, briques de construction en bois, moules
à pâtisserie, bassines et bouteilles de lait
en plastique vides. Donnez à votre petit
percussionniste quelques cuillères (en bois,
en métal ou en plastique) ou un maillet
en bois et passez une musique qu'il apprécie :
il n'aura plus qu'à battre la mesure.
Vous pouvez aussi le regarder faire
ses percussions en solo, sans musique.
Il va non seulement s'amuser, mais aussi
acquérir le sens du rythme et une meilleure
coordination entre l'œil et la main.

 *Montrez à votre enfant comment varier les rythmes,
et comment frapper délicatement, puis fort.*

525 des lacets design

Placez une paire de lacets de chaussures pour enfants sur une feuille de papier absorbant et demandez à votre enfant de tracer des pois avec de la peinture non toxique pour tissu. Quand ils sont secs, mettez les lacets sur ses chaussures.

526 les dessins à l'éponge

Découpez dans une éponge neuve des bandes et des cercles. Montrez à votre enfant comment les tremper dans une assiette en carton contenant un peu de peinture liquide non toxique, puis comment tamponner les morceaux d'éponge sur une feuille de papier. Pour créer des motifs originaux, roulez une éponge sur elle-même, maintenez-la avec des élastiques et faites-la rouler sur le papier.

527 cache-cache animé

Ne soyez pas trop rapide à découvrir votre enfant caché derrière un rideau ou sous la table. Au contraire, dites à voix haute : « Si [prénom de votre enfant] était là, il (ou elle) pourrait me dire quel est le cri de la vache. » Poursuivez le jeu avec différents animaux jusqu'à ce qu'il vous réponde – ou qu'il rie tellement que vous ne puissiez plus faire semblant de ne pas savoir où il se cache.

528 le jeu des rimes

Au début, laissez votre enfant compléter les rimes dans des textes qu'il connaît bien, puis demandez-lui d'en ajouter de nouvelles. Ensuite, trouvez des mots qui riment chacun à votre tour (« sucette », « pirouette »…).

529 bien jouer avec les autres

Ce n'est pas facile de partager. Une fois que votre tout-petit aura compris à quel point il peut être amusant de partager ses jouets, vous ne pourrez plus l'arrêter. Quand vous jouez avec lui, prenez des jouets et offrez-les lui, et demandez-lui de vous en offrir en retour.

530 la boîte à lettres

Pour un tout-petit, le courrier, c'est un peu magique. Achetez une petite boîte à lettres – ou confectionnez-en une avec une boîte à chaussures – et glissez-y de temps en temps des petits mots, des jouets ou même les enveloppes colorées des publicités que vous jetez habituellement. Incitez vos amis et votre famille à envoyer des cartes postales à votre enfant.

531 les carottes miraculeuses

Coupez les fanes de quelques carottes (avec le radis, ça marche aussi) à 2,5 cm environ du légume. Aidez votre enfant à les mettre debout, côté fanes vers le bas, dans un plat creux. Versez de l'eau jusqu'à la moitié de la hauteur des fanes. Arrosez et observez-les tous les jours. Des petites feuilles vertes duveteuses ne tarderont pas à apparaître sous le regard émerveillé de votre jardinier en herbe.

24+ mois

532 tri d'objets

Disposez une douzaine d'objets similaires (des perles, des boutons...) devant votre enfant et demandez-lui de les trier par couleur, forme ou taille. Procédez ensuite à un tri plus subtil (par exemple nombre de trous des boutons). Surveillez-le bien pour qu'il ne les avale pas.

533 le tapis volant

Étalez sur le sol une grande feuille de papier kraft rectangulaire. Découpez des franges de chaque côté pour qu'elle ressemble à un tapis. Aidez ensuite votre enfant à dessiner sur celui-ci des motifs colorés avec des feutres non toxiques et lavables. Une fois qu'il est installé sur son « tapis volant », stimulez son imagination et demandez-lui ce qu'il voit de là-haut. « Est-ce que tu es au-dessus de la maison ? Tu vois le portique ? C'est Cookie qui aboie dans le jardin ? »

534 pêche à la pince

Déposez une douzaine de petits objets légers (marshmallows, plumes, céréales) dans un plat, devant votre enfant. Donnez-lui une pince à cornichons et montrez-lui comment attraper les objets en les pinçant. Ce jeu est un très bon exercice pour développer la motricité fine.

535 peinture sur gâteau

Mettez un tout petit peu d'eau dans trois bols et ajoutez dans chacun d'eux quelques gouttes de colorant alimentaire de façon à obtenir trois teintes vives (proportions : deux gouttes d'eau pour une goutte de colorant). Demandez à votre enfant de s'en servir pour peindre des cookies avant leur cuisson, avec des petits pinceaux neufs. Une fois qu'ils sont cuits et refroidis, laissez-le manger ses œuvres d'art.

536 miam, les bonnes fourmis

Coupez des branches de céleri en tronçons et remplissez les creux de fromage fondu ou de houmous. Demandez à votre enfant de déposer des grains de raisin sec sur les extrémités. Voilà de délicieuses petites « fourmis » !

 Certains jours, votre enfant ne mangera pas grand-chose, mais ne vous inquiétez pas : il sait ce qu'il doit manger, et quand.

537 des sauts pour grandir

Les jeux dans lesquels il faut sauter sont excellents pour un enfant de deux ans. Ils lui font travailler sa motricité, affiner son sens de l'équilibre et accroître son agilité. Ils lui permettent aussi d'évacuer son énergie débordante. Dessinez à la craie sur le sol des étoiles, des pois ou des fleurs et demandez à votre enfant d'essayer de sauter à pieds joints de l'un à l'autre. Dans un deuxième temps, il essaiera certainement de sautiller sur un pied, puis sur l'autre, ou même de jouer à la marelle, toujours très prisée des enfants.

538 la chasse aux images

Donnez à votre enfant un magazine avec des photos. Nommez une catégorie (par exemple, la nourriture ou les animaux). Feuilletez le magazine et demandez-lui de vous montrer des images appartenant à ces catégories.

539 une boisson délicieuse

Proposez à votre enfant de vous aider à préparer une boisson onctueuse avec un mélange de plusieurs fruits (banane et fruits rouges par exemple), une boule de glace ou de yaourt congelé et un peu de jus de fruits. Mélangez au mixeur, et vérifiez qu'il ne reste pas de gros morceaux avec lesquels il pourrait s'étouffer.

540 exposer ses talents

Votre petit artiste en herbe produit déjà certainement une multitude d'œuvres d'art. Pour exposer ses créations, vous pouvez par exemple acheter des cartes aimantées dans un magasin de loisirs créatifs et fabriquer des cadres à « coller » sur le réfrigérateur. Découpez par exemple dans chaque feuille des rectangles concentriques (chaque cadre sera un peu plus petit que le précédent). Ou bien servez-vous de ses œuvres pour décorer sa chambre. Vous pouvez aussi scanner celles que vous préférez et les envoyer par e-mail à vos amis et à votre famille, en faire un diaporama ou en mettre une en fond d'écran.

541 leçon d'escalier

Votre enfant est maintenant certainement très habile pour grimper les escaliers, même si monter est toujours plus facile que descendre. Il préfère peut-être les descendre sur les fesses, marche par marche, ou en rassemblant les deux pieds à chaque marche. Pour qu'il prenne confiance en lui, entraînez-vous ensemble à monter et descendre les escaliers. En dehors de ces moments-là, n'oubliez pas de mettre une barrière pour l'empêcher d'y accéder seul.

542 pas de changement sans explication

À deux ans, votre enfant est perturbé lorsqu'il remarque un changement dans votre apparence. Passe encore si vous mettez un chapeau ou des lunettes de soleil. Mais si vous changez radicalement de coupe de cheveux, il a besoin d'être rassuré et de savoir que c'est bien vous qu'il a en face de lui. Pour cela, expliquez-lui ce qui s'est passé.

543 un sandwich-puzzle

Coupez un sandwich au pain de mie en deux ou trois morceaux irréguliers. Demandez-lui de reconstituer le puzzle. Sa récompense : dévorer ensuite le sandwich.

544 repas sur l'herbe

Peu importe que vous serviez à votre enfant le pain et le fromage que vous avez l'habitude de lui proposer à table. Et peu importe que vous n'alliez pas plus loin que votre jardin. Préparez votre pique-nique – panier, nappe à carreaux et gobelets en plastique. Dehors, tout a un meilleur goût, tout est plus agréable à manger. Allongez-vous sur le dos et cherchez les requins, les trains ou les crocodiles dessinés par les nuages.

545 sortie sous la pluie

Sortez tous les jours, sauf si le temps est vraiment épouvantable. En fait, une promenade sous la pluie n'est pas forcément désagréable. Protégés par des bottes et un ciré, passez dans les flaques d'eau, cherchez des vers de terre, faites flotter des feuilles dans les mares, penchez la tête en arrière en tirant la langue pour sentir les gouttes de pluie qui s'y déposent…

546 banana-split à emporter

Voici un petit goûter à préparer tous les deux. Demandez à votre enfant de peler une banane et coupez-la en tronçons. Proposez-lui de vous aider à rouler chaque morceau dans du chocolat fondu (attention, il ne doit pas être trop chaud). Plantez un bâtonnet en bois dans chaque tronçon, mettez-les sur du papier sulfurisé et laissez-les refroidir une demi-heure.

547 un modèle en briques

Prenez huit briques – quatre d'une couleur et quatre d'une autre. Créez un motif en mettant par exemple deux briques rouges côte à côte. Donnez à votre enfant les briques restantes et demandez-lui de reproduire votre modèle. Poursuivez le jeu en lui montrant d'autres modèles à reproduire.

548 le plat des héros

Préparez et dégustez un plat inspiré de l'un des livres préférés de votre enfant. Il sera par exemple ravi de déguster le même plat que Tchoupi dans l'un de ses albums, ou de manger ce qu'adorent Pom', Flore et Alexandre.

549 à laver avec précaution

De temps en temps, sa peluche préférée aura besoin d'être lavée, mais minimisez la détresse de votre tout-petit en la lavant quand il dort, et en la remettant dans son lit avant son réveil. Quand il est réveillé, expliquez-lui que Nounours a pris un bain.

550 un dîner raffiné

Même un tout-petit peut apprécier de temps en temps un dîner de fête à la maison. Cela lui permet aussi de se familiariser avec les usages en société. Mettez une jolie nappe, demandez-lui de vous aider à décorer la table, choisissez une musique de fond – classique ou jazz. Voilà de quoi sublimer une simple assiette de jambon-coquillettes !

552 la pâte à jouer

Les enfants adorent pétrir de la pâte.
Préparez ensemble cette pâte à jouer.
Il vous faut :

750 g de farine,

375 g de sel,

2 sachets de levure chimique,

3 cuillères à soupe d'huile végétale,

750 ml d'eau,

quelques gouttes de trois colorants alimentaires.

Mélangez tous les ingrédients, sauf le colorant
alimentaire, dans un grand faitout et faites chauffer
à feu moyen. Remuez sans arrêt jusqu'à ce que
le mélange n'adhère plus aux parois et forme
une boule. Retirez du feu et laissez refroidir.
Quand la pâte est suffisamment froide, posez-la
sur du papier sulfurisé et malaxez-la pendant
une minute. Divisez-la en trois parts égales
et incorporez un colorant différent dans chaque
part en pétrissant. La pâte est prête pour que
votre enfant joue avec. Stockez les portions
dans des sachets distincts, au réfrigérateur.
À conserver quinze jours maximum.

551 jeu de la marchande

Une promenade au marché peut
être à la fois amusante et éducative.
Faites participer votre enfant :
« Tu peux m'aider à prendre cinq
pommes ? » Achetez quelque chose
qu'il ne connaît pas encore et
laissez-le sélectionner lui-même
quelques fruits et légumes.
Les tout-petits goûtent plus volontiers
les aliments qu'ils ont aidé à choisir.

553 à vos ordres !

Inscrivez des ordres simples sur des morceaux
de papier (par exemple « fais demi-tour », « sautille
comme un lapin » ou « apporte-moi ton chat
en peluche »). Mettez-les dans un pot en plastique
et demandez à votre enfant de les tirer un par un.
Lisez-les-lui au fur et à mesure. Il doit ensuite tous
les exécuter en essayant de ne pas en oublier.
Il peut aussi en choisir quelques-uns pour vous.

554 souvenirs, souvenirs

Faites écouter à votre enfant les musiques qui ont bercé votre propre enfance. Ressortez vos vieux disques. Vous serez étonné(e) du nombre de chansons que vous êtes encore capable de chanter. Qui sait si elles ne vont pas se perpétuer à travers une nouvelle génération…

555 réflexion intense

Laissez votre enfant prendre son temps pour résoudre seul de nouveaux problèmes (un nouveau puzzle par exemple). Il est en train de prendre confiance en lui et il aime qu'on l'encourage lorsqu'il arrive à faire quelque chose.

556 ses histoires à lui

Achetez un tableau de feutre ou fabriquez-en un en recouvrant de feutrine un grand morceau de carton rigide. Achetez également des figurines adhésives en feutre ou découpez-en dans de la feutrine (formes géométriques, animaux, personnages, nuages …). Cette activité permet à l'enfant de deux ans de créer des scènes et d'inventer des histoires de façon amusante.

557 de drôles de sandwiches

Prenez des tranches de pain de mie et amusez-vous à y découper des formes amusantes pour votre enfant. Vous pouvez aussi faire des sandwiches bicolores avec une tranche de pain blanc et une tranche de pain de seigle complet (presque noir).

558 l'harmonica

L'harmonica est un instrument extraordinaire pour les tout-petits car il fait du bruit aussi bien quand ils inspirent que quand ils expirent. Ils peuvent aussi déplacer l'instrument le long de leur bouche.

559 une journée haute en couleurs

De temps en temps, consacrez une journée entière à une couleur particulière. Si vous choisissez le bleu, mangez des myrtilles, faites des dessins au crayon bleu et jouez avec des jouets bleus.

 Apprendre à classer et à trier les objets (par couleur ou par taille par exemple) aide votre enfant à comprendre le monde.

560 des délices venus d'ailleurs

Habituez très tôt votre enfant à manger toutes sortes de cuisines. Vous ouvrirez la famille entière à de nouvelles saveurs et offrirez à votre enfant des expériences sensorielles inédites. Même si les petits apprécient parfois les saveurs très épicées, commencez plutôt par des choses plus douces : poulet à l'aigre-douce et nouilles chinoises au sésame, biryani (riz) indien légèrement épicé accompagné d'un nan (galette de pain), ou houmous et falafel du Moyen-Orient.

24+ mois

561 lavage de voitures

Pour inciter votre enfant à prendre soin de ses affaires, rassemblez avec lui toutes ses petites voitures et ses camions et mettez-les dans le jardin ou dans la baignoire. Donnez-lui un petit seau d'eau savonneuse et une éponge. Pour qu'il joue en toute sécurité, restez près de lui et videz le seau quand il a fini.

562 des bijoux cueillis dans la nature

Cueillez des fleurs et de grandes herbes et parez-en votre tout-petit : confectionnez-lui un collier de marguerites ou de pissenlits, ou une couronne d'herbes sauvages et de fleurs. Improvisez une petite chorégraphie à la gloire de la nature. Succès garanti !

563 petit chef

Laissez progressivement votre enfant accomplir de vraies tâches en cuisine. Surveillez-le mais faites-lui mélanger une préparation, tourner une salade ou utiliser un couteau à bout rond pour découper de la pâte à tarte. Offrez à votre petit chef un petit tablier rien qu'à lui.

564 dire exprès des bêtises

Si votre enfant vous entend dire une bêtise, cela va certainement l'amuser. Dites : « Oh, le beau tee-shirt rouge ! », alors qu'il en porte un bleu, trompez-vous de paroles dans une chanson, vous favoriserez le développement de ses connaissances tout en le faisant rire.

565 des constructions ambitieuses

Votre enfant grandit et peut réaliser avec ses briques des constructions de plus en plus sophistiquées. Sa motricité fine est maintenant suffisamment développée pour qu'il élève des tours plus imposantes. Montrez-lui quelques astuces, par exemple comment gagner de la stabilité en emboîtant une brique sur deux autres légèrement espacées.

566 une cabane rien qu'à lui

Recouvrez une petite table avec une couverture. Les pans doivent retomber jusqu'au sol. Relevez un côté pour ménager une porte. En un tour de main, votre enfant dispose d'une magnifique cabane où il pourra emmener quelques jouets. Donnez-lui une petite couverture ainsi qu'une lampe torche et ce sera le grand luxe.

567 la pieuvre-chaussette

Prenez une vieille chaussette propre et fabriquez une pieuvre. Remplissez le bout avec du coton à démaquiller ou du molleton, et serrez la chaussette avec un morceau de ficelle pour que l'extrémité garde sa forme arrondie. Découpez une quinzaine de fentes aux ciseaux dans le haut de la chaussette en vous arrêtant à 2,5 cm de la ficelle. Faites des yeux au feutre sur le bout de la chaussette.

568 le train des animaux

Fabriquez un train avec des boîtes à chaussures : percez un trou de chaque côté des boîtes et attachez chacune à la précédente avec de la ficelle. Votre enfant sera le conducteur de l'Express des Animaux où tous ses animaux en peluche embarqueront pour un petit voyage.

569 mini-memory

Cherchez sur Internet des images qui vont par paires et imprimez-les. Placez-les à l'endroit (au début deux paires suffisent) devant votre enfant. Ensuite, retournez-les et demandez-lui de retrouver les paires. Ajoutez-en d'autres quand le jeu devient trop facile pour lui. Vous pouvez aussi lui proposer d'associer des cartons colorés.

570 une sortie nocturne

Si votre enfant est encore debout alors qu'il fait déjà nuit, sortez dans le jardin. Étalez une couverture par terre, laissez vos yeux s'habituer à l'obscurité et parlez-lui de la lune et des étoiles. Chantez *Au clair de la lune* ou *C'était dans la nuit brune*. Écoutez les grillons, les grenouilles et les oiseaux de nuit. Et n'oubliez pas de guetter les lucioles !

572 construire, toujours construire

Il existe des briques adaptées à tous les âges (Lego, Kapla et autres), l'essentiel étant qu'elles ne présentent aucun danger pour votre enfant et qu'elles correspondent à la taille de ses petites mains. Ce qui va d'abord l'intéresser, c'est d'associer des éléments et de faire en sorte que sa construction ne s'écroule pas tout de suite – au moins le temps de la faire admirer.

571 expérience marine

Emmenez votre enfant à la plage et habituez-le à la mer. Faites-lui sentir le mouvement des vagues sur ses chevilles et portez-le dans l'eau en le rassurant s'il a un peu peur. Une fois revenus sur le sable, cherchez des trésors – coquillages, bois flottant et morceaux de verre polis par la mer, etc. – et remplissez-en son seau. Triez-les et observez-les. Une fois que vous avez fini de les regarder, remettez les animaux et les plantes dans leur milieu naturel.

573 un écrivain en herbe

Votre enfant commence peut-être à montrer de l'intérêt pour l'écriture en faisant semblant d'écrire. Encouragez-le mais n'essayez pas de lui apprendre à écrire dès maintenant. Donnez-lui des crayons et du papier et demandez-lui de vous « lire » ce qu'il a « écrit ».

574 en route pour l'île des Animaux

Le canapé est un bateau et le sol représente l'île des Animaux. Si vous débarquez, vous devenez un animal et vous devez parler et vous déplacer comme une bête sauvage. Si vous avez quelque chose à dire, vous devez retourner dans le bateau.

575 manteau express

Enfiler un manteau est une manœuvre compliquée pour un tout-petit. Essayez la méthode suivante : aidez-le à poser son manteau – déboutonné et côté extérieur contre le sol – devant lui ; l'encolure doit se trouver devant ses pieds. Faites-le se pencher en avant et enfiler ses bras dans les manches, puis lancer le manteau pour le faire passer par-dessus sa tête.

576 donner et recevoir

Votre tout-petit commence à apprécier de donner, de recevoir et de partager. Il se sentira grand si vous l'encouragez à donner un cadeau à son meilleur ami pour son anniversaire.

577 musique aquatique

Remplissez six verres épais avec différentes quantités d'eau, en les alignant du moins plein au plus plein. Montrez à votre enfant comment en frapper le bord avec une cuillère pour créer de la musique. Expliquez-lui qu'en changeant la quantité d'eau, on obtient une autre note.

24+ mois

579 le jeu des couleurs

Présentez à votre enfant des papiers de la même couleur que ses crayons. Demandez-lui d'associer les papiers et les crayons selon les couleurs qu'il nommera.

578 les ombres chinoises

Allumez une lumière vive devant le mur d'une pièce sombre et jouez aux ombres chinoises : créez des animaux avec l'ombre de vos mains et mettez-les en scène. Ensuite, aidez votre enfant à faire des ombres d'animaux simples à exécuter. Pour commencer, proposez-lui par exemple le lapin (il suffit de lui faire dresser le nombre de doigts correspondant à son âge) et le papillon (faites-lui écarter les doigts des deux mains en collant les pouces l'un contre l'autre).

580 le gâteau-boa

Faites cuire un gâteau dans un moule à savarin. Quand il est froid, coupez-le en trois. Demandez à votre enfant de placer les morceaux sur un plat de manière à représenter un serpent. Étalez du fondant vert sur la longueur ; posez des cerises pour les yeux et des gaufrettes pour les écailles.

581 les devinettes sonores

Dites-lui : « J'entends deux bruits qui ne sont pas très loin ! » et demandez-lui de vous nommer deux choses qu'il entend : un chien qui aboie et un avion qui passe dans le ciel par exemple. Augmentez la difficulté en posant des questions de plus en plus précises.

 Localiser un objet par l'ouïe apprend à votre tout-petit à trouver une réponse par un processus d'élimination.

582 des bulles, des bulles

Versez un mélange d'eau et de détergent dans un grand plat creux et montrez à votre enfant comment faire des bulles avec une pipe à bulles. Trempez aussi une petite cagette en plastique dans l'eau savonneuse, ressortez-la et agitez-la pour faire des dizaines de bulles minuscules.

583 instantanés

Prenez des photos de votre enfant tout au long de la journée : quand il joue, mange, se promène dans le jardin, va chercher son frère ou sa sœur à l'école, vous aide à quelque activité, etc. Imprimez ces photos et collez-les sur des feuilles de papier que vous rassemblerez sous forme de livret. Cet album deviendra rapidement l'un de ses livres fétiches.

584 en voiture tout le monde !

Alignez les chaises de la salle à manger et demandez à votre enfant – et à tous ceux de la famille qui veulent bien se joindre à vous – de monter à bord de ce petit train, le plus rapide du monde bien sûr. Faites-lui distribuer des « billets » découpés dans du papier kraft, qu'il récupérera quand les gens descendront du train.

585 un grand artiste est né

Pour un enfant de deux ans, dessiner est plus un acte physique qu'un travail artistique aboutissant à la représentation d'une fleur ou d'une personne. Félicitez-le pour ce qu'il est en train de faire. Néanmoins, il est préférable que vous interprétiez un peu son dessin : « Oh, mais on dirait une pomme ; qu'est-ce qu'elle est jolie ! »

586 dîner en compagnie d'un ver

Quand vous dînez au restaurant, fabriquez un gentil « ver » pour tenir compagnie à votre enfant. Sortez deux pailles de leur emballage en papier. Placez l'extrémité de l'un des emballages sur l'extrémité de l'autre de manière à former un L. Repliez celui du dessus par-dessus celui du dessous. Recommencez l'opération jusqu'à ce que vous arriviez au bout et que les deux emballages soient entièrement pliés l'un sur l'autre. Vous obtenez alors une amusante petite bestiole en forme d'accordéon.

30+ À partir de trente mois

Points de repère

La curiosité de votre tout-petit est insatiable, alors soyez prêts à répondre à ses nombreuses questions !

• Courir, sauter, faire du tricycle, lancer un ballon et le rattraper… tout cela renforce les capacités physiques de votre enfant.

• Un temps d'attention plus élevé reflète une capacité croissante de concentration.

• En encourageant les jeux de rôles et les jeux d'imagination, vous simulez la créativité de votre tout-petit et sa faculté à communiquer.

Au fur et à mesure qu'il se rapproche de son troisième anniversaire, votre tout-petit s'affirme, avec des talents, des aptitudes et des opinions qui lui sont propres. La vitesse à laquelle les tout-petits acquièrent de nouvelles capacités et digèrent les informations peut parfois vous laisser pantois, et le rythme des acquisitions ne va pas se ralentir maintenant. C'est un âge merveilleux, où la volonté farouche qui animait votre enfant il y a deux ans cède en grande partie le pas à des relations plus détendues. Vous êtes toujours celui ou celle qui le guide à travers un univers de plus en plus vaste, alors prenez le temps de savourer ensemble cette étape si particulière.

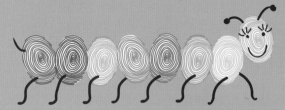

587 les empreintes de doigts

Procurez-vous un tampon encreur contenant de l'encre non toxique (ou de la peinture liquide non toxique versée dans une assiette en carton). Proposez à votre enfant d'appliquer l'empreinte de ses doigts sur une feuille de papier. Utilisez un feutre pour ajouter des détails, créer des personnages…

588 le jeu des absurdités

Si votre enfant manque un peu d'entrain, déridez-le : demandez-lui de vous regarder droit dans les yeux et de dire très lentement « garage, garage, garage » sans rire ni esquisser le moindre sourire. Il ne résistera sûrement pas !

589 créer des couleurs

Mettez de la peinture liquide non toxique sur une palette ou sur le bord d'une assiette. Choisissez les trois couleurs primaires (rouge, bleu, jaune) et montrez-lui comment les mélanger entre elles pour en créer de nouvelles.

590 le bâton de pluie

Froissez une feuille d'aluminium de 1,50 m de long en lui donnant la forme d'un serpent. Formez ensuite une spirale, que vous introduirez dans un long tube en carton. Fermez une extrémité avec un papier épais et du ruban adhésif. Versez des lentilles sèches à l'intérieur par l'autre extrémité, puis fermez-la. Mettez le bâton à la verticale et écoutez la « pluie » tomber.

591 l'apprenti sorcier

Étalez des journaux sur une table et donnez à votre petit chimiste des bols, des cuillères, des gobelets en plastique vides et d'autres contenant du sel, du sucre, de la farine, du jus de citron ou de l'eau. Laissez-le imaginer des mélanges et découvrir de nouvelles sensations.

592 une maison pour les fées

Partez tous les deux à la recherche d'une maison pour les fées. Regardez entre les racines des arbres, sous l'escalier de la cave, dans un massif de fleurs d'été. Utilisez des brindilles, des feuilles et d'autres matériaux naturels pour embellir leur logis. Apportez-leur un petit morceau d'écorce plat pour leur faire une table, de la mousse pour leur lit…

593 c'est lourd !

En demandant à votre enfant de porter quelque chose de « lourd », vous lui proposez à la fois un exercice de motricité et lui offrez l'occasion de prendre confiance en lui. Proposez-lui par exemple de porter une petite pile de linge ou de transporter ses livres d'une pièce à l'autre.

594 les découpages

Vers la fin de leur troisième année, certains enfants savent déjà manier les ciseaux pour couper du papier. Cet exercice fait appel à la motricité fine. Proposez-le à votre enfant, mais donnez-lui des ciseaux pour enfants à bouts ronds, sans danger pour lui. Apprenez-lui que les ciseaux ne s'utilisent qu'en présence d'un adulte et assis. Pour faciliter la tâche, donnez-lui du papier un peu épais (papier kraft, par exemple) et maintenez-le tendu pendant qu'il découpe une frise sur le bord. Quand il a acquis un peu plus d'habileté, coupez-lui des bandes pour qu'il y découpe des ronds et aidez-le à les coller sur du papier de couleur pour créer un tableau.

595 des crayons de cire tout neufs

Recyclez les petits bouts de crayons de cire cassés. Tapissez les alvéoles d'un moule à muffins de papier sulfurisé. Retirez les étiquettes des crayons et triez-les par couleur. Remplissez les alvéoles au tiers et enfournez à 110 °C. Surveillez attentivement et retirez du four quand les crayons ont fondu. Laissez refroidir, démoulez, retirez le papier et proposez à votre enfant de faire un beau dessin avec ces crayons originaux.

596 respecter son doudou

Quand votre enfant a besoin d'un peu de réconfort, son doudou lui apporte beaucoup de tendresse, l'apaise et l'aide à ne pas se décourager.

597 les devinettes

Proposez-lui de jouer aux devinettes en vous concentrant sur la fonction des choses. Dites par exemple : « C'est quelque chose qui fait de la musique. » Votre enfant s'amusera tout en s'instruisant.

 Quand vous attendez dans un endroit où il n'y a pas de jouet, jouez à des devinettes ou aux portraits.

598 un set pour mettre la table

Avec votre enfant, découpez dans du papier la forme d'une assiette, d'un couteau, d'une cuillère, d'une fourchette et d'un verre. Ensemble, collez-les au bon endroit sur une feuille de papier. Recouvrez le tout d'un film plastique adhésif pour obtenir un set. Votre enfant pourra s'en servir comme modèle pour mettre la table.

599 cueillette en famille

Cherchez dans les journaux locaux des adresses d'exploitations agricoles où chacun peut ramasser lui-même ses produits. On remplit ses paniers en famille, on paie et on repart avec sa cueillette. Si possible, inscrivez-vous sous le nom de votre enfant auprès de l'exploitation afin qu'il soit le premier informé par courrier quand les fraises ou les haricots verts sont mûrs et qu'ils n'attendent plus que lui !

600 comparer et contraster

Placez vos pieds à côté de ceux de votre enfant et regardez-les. Comparez leur taille, forme et couleur, remarquez en quoi ils sont différents et pourtant semblables. En lui montrant qu'il vous ressemble par de nombreux côtés, tout en étant un être unique, vous l'aidez à être fier de son corps.

601 un dessert maison

Aidez votre enfant à se préparer un dessert aux fruits dans une grande coupe en plastique. Faites-lui d'abord verser du yaourt, puis des fraises (ou un autre fruit rouge) en lamelles et quelque chose de croustillant, par exemple des gâteaux secs émiettés.

602 un décor en carton

Appelez un magasin d'électroménager et demandez qu'on vous mette de côté un très grand carton - par exemple le carton d'un four ou d'un réfrigérateur. À l'aide d'un couteau (c'est vous qui le manierez) et de crayons (c'est votre enfant qui dessinera), transformez le carton en épicerie, théâtre de marionnettes, château... Assurez-vous de sa stabilité et laissez son imagination faire le reste.

603 un masque unique

Aidez votre enfant à enfiler un sac en papier sur sa tête et repérez au crayon l'endroit où sont ses yeux et sa bouche. Retirez le sac et découpez des ouvertures aux endroits marqués. Donnez-lui des crayons de cire, de la peinture liquide non toxique, des chutes de papier et de la colle pour qu'il puisse laisser libre cours à son imagination et se créer un nouveau visage – tigre, robot, extra-terrestre…

604 donner un peu de sel aux courses

Pour affiner son sens de l'observation, proposez-lui de chercher dans les rayons les articles figurant sur les coupons de réduction que vous lui aurez donnés. Aiguillez-le en lui proposant quelques indications pour l'aider.

605 des horizons variés

Encouragez votre tout-petit à s'essayer à toute une gamme d'activités amusantes, depuis le football ou la natation jusqu'au théâtre de marionnettes et aux bulles de savon. Ses intérêts ne s'affirmeront pas avant plusieurs années, c'est pourquoi il est bon pour lui d'essayer des tas de nouvelles choses avec vous dès maintenant.

606 l'expérience de chimie

Faites une petite expérience de chimie amusante : mettez des pièces de monnaie sales dans un bocal en verre muni d'un couvercle. Couvrez-les de vinaigre, puis ajoutez une cuillère à soupe de sel. Fermez le bocal et secouez doucement. Le lendemain, les pièces sont propres. Précisez-lui bien de ne jamais les porter à la bouche.

30+ mois

607 — les vœux

Montrez à votre enfant comment faire un vœu en soufflant sur les fleurs de pissenlit fanées pour qu'elles s'envolent. Observez les graines à la loupe. Ensuite, faites-lui jouer le rôle de la fleur de pissenlit : faites un vœu à voix haute, soufflez dans ses cheveux et faites-le courir dans le jardin.

608 — de délicieuses initiales

Achetez un jeu d'emporte-pièces en forme de lettres et utilisez-les pour découper le nom de votre enfant ou ses initiales dans des biscuits ou dans un sandwich au pain de mie. Délicieux (et éducatif) !

609 — un copain de papier

Remplissez un sac en papier avec du papier journal froissé. Fermez avec du ruban adhésif et fixez sur cette « tête » un corps découpé dans du papier. Votre enfant dessinera un visage sur son nouveau copain.

610 — le nécessaire de voyage

Procurez-vous une grande boîte en fer munie d'un couvercle. Mettez-y des formes découpées dans de la feutrine - formes géométriques, personnages, animaux, arbres, nuages… de quoi stimuler son imagination. Ajoutez-y un carnet à croquis, des crayons de cire et de grandes lettres aimantées (qu'il pourra utiliser sur le couvercle de la boîte). Suivant les centres d'intérêt de votre enfant, vous pouvez y ajouter des dinosaures, des marionnettes ou des livres. Lorsque vous partez en voyage, glissez-y quelques barres aux céréales ou un sachet de raisins secs.

 Emballez grossièrement certains de ses jouets dans un papier de couleur vive et laissez-le les déballer pendant un long trajet en voiture.

611 les feuilles mortes

Demandez à votre enfant de ramasser une poignée de feuilles dans votre jardin ou dans le parc. Sortez-lui quelques crayons de cire débarrassés de leur étiquette, ainsi que du papier blanc assez épais. Placez les feuilles à l'envers (nervures visibles) sur la table et mettez le papier par-dessus. Aidez votre enfant à crayonner régulièrement le papier avec la partie large du crayon de manière à faire apparaître le dessin de la feuille. Faites-lui utiliser la même technique avec d'autres matériaux assez plats mais possédant un relief : écorce d'arbre, fossile apparaissant à la surface d'une pierre ou cœur d'une fleur de tournesol. Fabriquez un mobile en découpant plusieurs de ses dessins : faites un trou en haut de chacun d'eux et attachez-les avec un fil le long d'une baguette de bois.

612 bonjour les canards

Avec votre enfant, allez voir une mare où vivent des canards. Observez-les bien et essayez de repérer les différences entre eux. Si vous restez assis sans bouger, ils se sentiront à l'aise avec vous. Avec un peu de chance, ils s'approcheront et vous pourrez les examiner et même les écouter de près. Proposez à votre enfant d'imiter leurs caquetages.

613 des initiales vivantes

Aidez votre enfant à humecter un disque de coton et placez-le dans un plat creux. Écrivez ses initiales avec des graines de blé et aidez-le à maintenir le coton humide jusqu'à ce que les graines germent.

614 des constructions comestibles

Préparez une assiette de snacks que votre enfant pourra à la fois utiliser comme éléments de construction et comme friandises : fromage coupé en dés, morceaux de pomme, grains de raisin... À lui d'imaginer toutes sortes de constructions !

615 le loto des couleurs

Pour votre prochain voyage, prévoyez pour votre enfant une petite boîte de crayons de cire. Demandez-lui de regarder les voitures et de vous tendre le crayon correspondant à la couleur de la voiture qui passe. Quand il n'a plus de crayon, il a gagné !

30+ mois

618 le jeu du grand ménage

Si votre enfant laisse un bazar épouvantable quand il joue, faites-le participer au rangement - mais cela doit rester un jeu. Demandez-lui par exemple de ramasser tout ce qui est rouge, ou rond. Ou jouez au « jeu des dix » : réglez un chronomètre sur dix minutes et demandez-lui de ramasser le plus d'objets possible pendant ce laps de temps.

616 une soirée au concert

Les tout-petits adorent les concerts en plein air, surtout s'ils s'adressent à un public enfantin. Apportez une couverture ou des chaises pliantes, un pique-nique, un oreiller et une peluche au cas où le concert l'endormirait. Si c'est le contraire, laissez-le s'ébattre et danser s'il en a envie – à condition de ne pas trop s'éloigner de vous et de rester à portée de vue.

619 remue-méninges

Les enfants adorent chercher l'intrus dans une série d'objets. Pour développer l'esprit logique chez un enfant de trois ans, on peut compliquer un peu les choses. Présentez-lui par exemple une chaussure de sport, une tong, une chaussette et une botte. L'intrus peut être la chaussette parce que ce n'est pas une chaussure. Mais ce peut être aussi la tong parce qu'on ne peut la porter que l'été. Ici, le raisonnement est aussi intéressant que la réponse elle-même.

617 on ouvre son propre bowling

Installez une salle de bowling improvisée avec six grands gobelets en plastique en guise de quilles. Demandez à votre enfant de vous aider à placer les gobelets sur trois rangées, avec trois gobelets, puis deux, puis un, de façon à former un triangle inversé (ce qui l'aidera aussi à s'entraîner à compter). Complétez votre équipement avec un assortiment de grandes balles en peluche ou en chiffon. Montrez à votre apprenti bouliste comment prendre son élan avant de viser et de faire rouler la balle assez fort pour faire tomber les « quilles ». Strike !

620 trouver les contraires

Demandez à votre enfant de vous donner le contraire du mot que vous lui dites. Commencez avec des mots faciles.

Faites des phrases courtes qui contiennent des « contraires » : le chat noir dort, le chat blanc est réveillé.

621 un livre à quatre mains

Votre enfant adore raconter des histoires, alors faites équipe : il dicte, vous écrivez, il fait les illustrations. Mettez seulement quelques lignes par page et laissez beaucoup de place pour ses dessins. Une fois le livre terminé, fabriquez une reliure en papier kraft. Demandez à votre enfant de dessiner une jolie couverture et de choisir un titre.

622 patatogravure

Sculptez une forme dans une moitié de pomme de terre. Imprégnez-la de peinture liquide non toxique et montrez à votre enfant comment faire une empreinte.

623 direction la ferme

Certaines fermes accueillent les visiteurs, sinon, vous avez peut-être remarqué des animaux dans un champ près de votre lieu de vacances. N'oubliez pas que, pour un petit citadin, voir des moutons et des chèvres a quelque chose d'exotique. Il est bon que votre enfant ait l'occasion de voir en vrai les animaux qu'il a découvert dans ses livres. Mettez des bottes et demandez toujours la permission avant de caresser ou de donner à manger à un animal. Lavez-vous bien les mains après.

624 les fausses tranches de pastèque

Teintez avec du colorant alimentaire rouge une pâte pour cookies aux pépites de chocolat. Formez un boudin puis coupez des rondelles dont vous tremperez le bord dans de l'eau additionnée de colorant alimentaire vert. Recoupez les tranches en deux et faites-les cuire au four.

625 les phrases impossibles

Essayez de faire prononcer à votre enfant quelques phrases difficiles. Commencez par quelque chose de simple, comme :

Piano, panier, piano, panier.
En voici deux autres beaucoup plus difficiles :
Au bout du pont, la poule y pond, la cane y couve.
Un chasseur sachant chasser doit savoir chasser sans son chien.

626 le dessin à la craie

Achetez des craies de couleur. En général, il n'est pas interdit de dessiner à la craie sur le sol (cour d'école, trottoir…) dans la mesure où il suffit qu'il pleuve pour que tout soit effacé. Tracez des nénuphars et faites sauter votre enfant de l'un à l'autre. Dessinez des carrés qui représenteront les pages sur lesquelles vous allez illustrer ou écrire une histoire. Tant mieux si le sol est un peu humide, la couleur de la craie sera plus vive.

30+
mois

627 le bon roi Dagobert

Chantez ensemble en rythme.

Le bon roi Dagobert a mis sa culotte à l'envers
Le grand saint Éloi lui dit ô mon roi
Votre majesté est mal culottée
C'est vrai, lui dit le roi, je vais la remettre à l'endroit
Le bon roi Dagobert chassait dans la plaine d'Anvers
Le grand saint Éloi lui dit ô mon roi
Votre majesté est bien essoufflée
C'est vrai, lui dit le roi, un lapin courait après moi
Le bon roi Dagobert avait un grand sabre de fer
Le grand saint Éloi lui dit ô mon roi
Votre majesté pourrait se blesser
C'est vrai, lui dit le roi, qu'on me donne un sabre
de bois…

628 choisir le bon tricycle

C'est son premier tricycle ? Assurez-vous
que les pieds de votre petit pilote atteignent
facilement les pédales. Par sécurité, choisissez
un cadre en acier et assurez-vous
qu'il porte un casque de protection
à sa taille. Stimulez l'imagination
de votre enfant en y ajoutant
des accessoires ; un jour
ce sera un vaisseau
spatial, un autre,
un camion
de pompier.

629 une patate envahissante

Achetez des patates douces ou des ignames
(ce sont des aliments sains, dont le goût sucré plaît
toujours aux petits). Gardez-en une crue et faites
cuire le reste au four à 200°C. Tenez la patate
douce crue à la verticale et plantez quatre cure-
dents en bois au milieu de celle-ci de manière
à la faire tenir à cheval sur un pot à confiture vide.
Versez de l'eau dans le pot : la patate doit être
à moitié immergée. Installez le bocal dans
un endroit ensoleillé. Demandez à votre enfant
de surveiller le niveau de l'eau et aidez-le
à en rajouter dès qu'il en manque. La patate
douce met une semaine ou deux à germer,
mais sa croissance est ensuite très rapide.

630 des réponses, encore et encore

Votre enfant est à l'âge où l'on pose des questions
sans fin. Répondez-y aussi patiemment que possible,
car c'est un moyen pour lui d'étendre
son vocabulaire et d'apprendre des choses.

631 les papilles en fête

Essayez ce jeu d'exploration sensorielle lorsque
vous êtes dans la cuisine. Demandez à votre enfant
de fermer les yeux et d'ouvrir la bouche. Déposez
sur sa langue quelque chose qu'il adore et dont
il pourra reconnaître le goût, par exemple une rondelle
de banane ou une pépite de chocolat. Demandez-lui
ensuite de se boucher le nez et recommencez
– est-ce qu'il sent une différence ?

632 un jardin en pot

Vous pouvez utiliser une jardinière ou un simple carton de lait posé sur le côté, dont la partie supérieure a été découpée. Ajoutez un peu de terreau et aidez votre enfant à planter quelques graines à croissance rapide (zinnias, soucis, gazon ou haricots par exemple). Quand la terre commence à sécher, arrosez-la ensemble. Cette activité est aussi une bonne occasion pour commencer à utiliser un calendrier. Notez la date à laquelle vous avez fait vos semis et barrez ensemble les jours jusqu'à l'apparition des premières pousses.

634 le petit équilibriste

Installez une planche solide ou une rallonge de table d'environ 90 cm de long sur deux gros annuaires de téléphone (un à chaque extrémité) posés par terre. Faites marcher votre enfant sur cette planche en lui tenant la main. Une fois qu'il est arrivé au bout, faites-lui faire un véritable exercice d'équilibre : demandez-lui de revenir au point de départ à reculons !

30+
mois

633 apprendre l'heure

Les vieilles horloges à affichage analogique, surtout celles munies d'une trotteuse, fascinent les tout-petits. Installez-vous devant une horloge avec votre enfant et observez attentivement sa forme et ses aiguilles. Comptez jusqu'à 12 en suivant les chiffres du doigt. Expliquez-lui que d'ici demain matin, la petite aiguille sera sur le 7.

636 des acteurs au bout des doigts

Fabriquez des marionnettes éphémères : découpez les doigts d'un gant fin en coton et enfilez-les sur l'une des mains de votre enfant. Prenez des feutres non toxiques et dessinez sur ses doigts des visages et quelques détails pour créer des personnages. Inventez-en toute une série et laissez ensuite votre enfant mettre en scène une histoire qu'il a imaginée.

635 un meuble pour les arts plastiques

Réservez une petite commode ou une étagère équipée de paniers pour les activités artistiques. Rassemblez-y tous les outils nécessaires à votre enfant pour exprimer sa créativité. Gardez des feuilles de papier blanc, du journal, du papier d'emballage, des morceaux de carton. Prévoyez aussi des boîtes en plastique pour les petits objets : rubans, fil, très gros boutons, bâtons d'Esquimau pour les collages. Rangez dans une boîte spéciale les fournitures telles que la peinture liquide, les feutres non toxiques et les crayons de cire.

637 un scientifique au bain

Mettez un gant de toilette sec en boule au fond d'un grand gobelet en plastique. Aidez votre enfant à plonger le gobelet dans l'eau, côté ouvert vers le bas. Remontez-le ensuite à la surface et demandez-lui de vérifier l'état du gant. Pourquoi le gant est-il encore sec ?

638 Jeannot Lapin dans son assiette

Demandez à votre enfant de déposer des feuilles de laitue (lavée) sur une assiette et de poser dessus une poire coupée en deux, côté bombé. Donnez-lui deux fines lamelles de carottes à planter dans la poire pour les oreilles, des raisins secs pour les yeux, un morceau de cerise pour le nez et un peu de yaourt pour la queue.

639 l'objet mystérieux

Même âgé de presque trois ans, un tout-petit n'est pas forcément mûr pour les devinettes compliquées. Vous pouvez néanmoins mettre un objet familier dans un panier, le recouvrir d'un torchon et essayer de lui faire deviner ce que c'est à l'aide de quelques indices. Ensuite, inversez les rôles.

641 sculptures

Assemblez différents matériaux pour réaliser une sculpture : bobines de fil en bois, briques de lait vides et bâtons d'Esquimau (propres) par exemple. Donnez à votre artiste en herbe de la colle liquide non toxique. S'il a plus de chances de produire de l'art abstrait que de réaliser une œuvre réaliste, sachez qu'il prendra plaisir à manipuler des matériaux tout en développant sa motricité fine.

30+
mois

642 à la découverte du monde

Laissez votre tout-petit s'éloigner un peu de vous avant de revenir de lui-même. Mais surveillez-le : un enfant peut aller très vite.

640 la malle aux déguisements

Les enfants adorent se déguiser et ils n'ont pas besoin qu'on les pousse beaucoup pour s'imaginer en conducteur de bus, en animal ou en magicien. Rassemblez dans une malle tous les anciens déguisements de Mardi-Gras, ainsi que des chemises, vestes, portefeuilles (à compléter idéalement avec une sacoche et des cartes de visite) et tous les vêtements et accessoires qui ne vous servent plus. Vous ne pouvez pas imaginer le trésor que cela représente pour un enfant.

643 une soirée cinéma

Rester assis dans une grande salle de cinéma obscure pendant toute la durée d'un « vrai » film est un peu difficile pour un tout-petit. Remplacez la classique séance de cinéma par des projections de courts-métrages à la médiathèque ou prévoyez une soirée en famille devant un DVD ou une cassette vidéo.

Parlez du thème d'un film avec votre enfant avant et après la séance.

644 le xylophone

Achetez un petit xylophone avec des lames métalliques – le même genre que ceux utilisés dans les écoles. Il suffit qu'il tape sur les lames pour produire des notes. Ce jeu lui permettra à la fois d'affiner sa coordination entre l'œil et la main et de développer son oreille musicale.

645 des petits-fours très chics

Préparez des petits-fours et demandez à votre enfant de vous aider à les décorer une fois qu'ils sont cuits. Mettez par exemple du colorant alimentaire rouge dans du fondant blanc et transformez vos petits fours en pommes. Ajoutez un bretzel en forme de bâtonnet pour faire la queue. Autre idée : teignez le fondant blanc en bleu, recouvrez le petit four et émiettez des gaufrettes à la vanille dessus pour évoquer la mer et le sable de vos dernières vacances. Vous pouvez aussi transformer un petit-four recouvert d'un glaçage blanc en ballon de foot en dessinant les coutures avec du fondant noir.

646 la vie des fourmis

Répandez du sucre sur le sol près d'une fourmilière. Donnez une loupe en plastique à votre enfant et laissez-le espionner les fourmis venues récolter ce trésor. Sont-elles bien organisées ?

647 un copain sage comme une image

Et voici… le chiot en origami ! Pour créer le compagnon le plus sage du monde, pliez en deux une feuille de papier carrée, suivant la diagonale, de manière à obtenir un triangle. Placez la pointe face à vous et repliez les deux coins extérieurs afin qu'ils ressemblent à de longues oreilles. Avec un crayon de cire, dessinez les yeux et le nez, et le tour est joué. Vous pouvez même fabriquer une portée entière.

648 un dîner préparé à deux

Coupez une boule de pâte à pizza en petites boules de la taille du poing et étalez-les pour former un disque fin. Sortez de la sauce tomate, du fromage râpé, des olives, des rondelles de pepperoni… Demandez à votre enfant de prendre les commandes auprès de chacun et laissez-le disposer lui-même la garniture demandée.

649 · cartographie

Inculquer à son enfant quelques notions de base de cartographie est un bon moyen pour développer ses facultés cognitives, l'aider à se repérer dans l'espace, et lui apprendre à s'orienter autour de chez lui. Prenez un carnet de croquis et sortez vous promener dans la rue avec votre enfant. Imaginez que vous êtes un oiseau : « Si nous volions, que verrions-nous à côté de notre maison si nous regardions en bas ? Oui, nous verrions la maison de ton amie Suzanne. Que verrions-nous d'autre ? » Dessinez la rue et faites des carrés sur lesquels vous inscrirez : « ma maison », « la maison de Suzanne » ou « aire de jeux », par exemple. Une fois chez vous, découpez ces différents repères dans du papier d'emballage et demandez à votre enfant de les replacer dans le bon ordre. « Tu te souviens de ce qu'il y a après ? C'est la bibliothèque ou la boulangerie ? »

650 · un bon coach

Parfois, votre enfant se décourage face aux nouvelles difficultés qu'il doit affronter. Les quatre étapes décrites ci-dessous devraient l'aider à maîtriser des gestes nouveaux, qu'il s'agisse pour lui de fermer son manteau, de verser du lait dans un bol ou d'enfiler ses chaussettes :

1. Captez son attention, puis montrez-lui comment faire en expliquant la chose avec des mots simples.
2. Facilitez-lui la tâche, en achetant par exemple un pull avec une fermeture Éclair ou un petit broc pour se servir du lait.
3. Découpez l'opération en plusieurs étapes pour rendre les choses plus faciles : « Regarde, tu dois d'abord plisser le haut de ta chaussette, comme ça. »
4. Encouragez-le à chaque pas qu'il effectue : « Voilà, c'est bien. Maintenant, remonte un peu la fermeture Éclair et ce sera parfait ! »

651 · la pâte magique

Que diriez-vous de vous lancer tous les deux dans une expérience scientifique un peu salissante ? Installez-vous (dehors ou sur la table de la cuisine recouverte de journaux), avec une grande bassine en plastique, deux boîtes de Maïzena, un broc d'eau teintée avec du colorant alimentaire et une cuillère en bois. Versez la Maïzena dans la bassine et ajoutez la quantité d'eau nécessaire pour obtenir une pâte de la consistance d'une pâte à beignets. Et voilà, c'est prêt ! Maintenant, remontez les manches de votre enfant et laissez-le jouer avec cette pâte (vous pouvez jouer avec lui). Pressez-la entre vos mains pour obtenir une boule dure, puis ouvrez la main et regardez-la redevenir instantanément liquide.

Attention : ne versez pas cette pâte (appelée Oobleck par les scientifiques) dans l'évier ! Mettez-la dans une brique de lait vide et jetez le tout à la poubelle.

30+ mois

652 · un début de collection

Aidez votre enfant à approfondir ses découvertes en démarrant une collection. Un voyage au bord de la mer peut être l'occasion de commencer une collection de coquillages, et une promenade au parc peut marquer le début d'une collection de pierres. Quelle que soit la nature de sa collection, incitez-le à la montrer, en la présentant par exemple sur une étagère dans des récipients en plastique ou dans des boîtes.

653 comme à la pizzeria

Les enfants adorent faire des choses qui rappellent ce que font les grands. Alors pourquoi ne pas le laisser jouer au pizzaïolo ? Coupez les « ingrédients » d'une pizza dans de la feutrine : pâte jaune, pepperoni rouge foncé, champignons gris, poivrons verts et mozzarella blanche. Pour que l'imitation soit parfaite, procurez-vous quelques boîtes chez un vrai marchand de pizzas.

654 une lunette pour voir sous l'eau

Fabriquez un appareil pour regarder sous l'eau. Découpez les deux extrémités d'une brique de lait, recouvrez l'une d'elles d'un film plastique bien tendu que vous fixerez solidement au carton avec du ruban adhésif imperméable. Votre enfant doit plonger la partie recouverte de plastique dans l'eau et regarder par l'autre côté de la brique. Pendant tout ce temps, tenez-le bien.

655 un puzzle très personnel

Collez un dessin de votre enfant sur du carton et découpez-le en morceaux de formes irrégulières. Il devra ensuite reconstituer son dessin. Vous pouvez aussi acheter un puzzle vierge sur lequel il fera un dessin.

656 au jardin public

Les aires de jeu installées dans les jardins publics proposent en général de nombreuses installations plus amusantes les unes que les autres pour faire de l'escalade, se balancer et crapahuter. C'est bien plus drôle que le jardin de la maison. Si vous avez la chance d'habiter une ville où les jardins publics sont nombreux, essayez-en plusieurs et demandez ensuite à votre enfant de choisir : « Tu préfères l'aire de jeu avec le château ou celle avec la tortue géante dans le bac à sable ? » N'oubliez pas d'emporter un goûter pour votre petit aventurier.

657 des créatures en carton

Pour obtenir toute une « ménagerie » d'insectes, découpez en morceaux un carton ayant contenu des œufs. Les morceaux ne doivent pas tous comporter le même nombre d'alvéoles. Percez des trous aux endroits stratégiques et demandez à votre enfant d'y introduire des bouts de cure-dents de différentes couleurs pour représenter les pattes, les antennes et les ailes.

658 formule magique

Pour qu'il n'y ait pas d'injustice quand votre enfant joue avec ses petits camarades et qu'il faut décider qui commencera, utilisez une vieille méthode imparable : désignez successivement chaque enfant en récitant « Amstramgram pic et pic et colegram ».

659 jouer avec les chiffres

Les chiffres sont partout. Dans un magasin, dans la rue, arrêtez-vous un instant et dites : « Je vois quelque chose qui porte le chiffre 3. » Donnez le temps à votre tout-petit de bien regarder, et félicitez-le quand il aura trouvé.

660 la chanson du fermier

Un petit lapin
Faites les oreilles de lapin.
Est caché dans le jardin
Cachez vos yeux avec vos mains.
« Cherchez-moi, coucou, coucou,
je suis caché sous un chou »
Le fermier passe et repasse
Faites semblant de chercher.
En tirant sur ses moustaches
Tirez sur vos moustaches !
Et ne trouva rien du tout
Le lapin mangea le chou !
Faites semblant de grignoter.

30+
mois

661 des étoiles au plafond

30+ mois

Cherchez dans un livre d'astronomie ou sur Internet un dessin représentant une constellation simple, comme Orion ou la Grande Ourse. À l'aide d'une brochette ou d'un petit clou, percez des trous dans le fond d'un gobelet en carton en suivant grossièrement le modèle. Au moment du coucher, éteignez la lumière et faites-lui allumer une lampe torche à l'intérieur du gobelet pour faire apparaître au plafond les étoiles de votre constellation.

662 le tunnel de lavage

Si votre enfant vous a vu(e) plusieurs fois laver votre voiture dans un tunnel de lavage, proposez-lui de monter avec vous dans la voiture pendant qu'elle « prend sa douche ». Ne le forcez pas mais s'il a envie d'essayer, expliquez-lui que cela va faire du bruit et racontez-lui dans le détail comment cela va se passer.

663 au bon beurre

Cette activité se fait en famille ou en groupe, car il faut secouer la préparation pendant un bon moment et cela va beaucoup plus vite lorsque les participants se relaient. Versez de la crème fraîche épaisse dans une boîte en plastique munie d'un couvercle bien hermétique. Remplissez-la aux deux tiers. Ajoutez deux ou trois billes en verre (propres) pour que la crème soit encore mieux malaxée et fermez la boîte. Secouez la énergiquement, en vous accompagnant éventuellement d'une petite chanson pour faire passer le temps :

Ah, Mesdames, voilà du bon fromage !
Ah, Mesdames, voilà du bon fromage !
Voilà du bon fromage au lait :
Il est du pays de celui qui l'a fait !

Au bout de 10 à 15 minutes, la crème se transforme en beurre. Goûtez-le ensuite sur du pain grillé ou des biscottes.

Il est important en société de savoir attendre son tour et de partager. Une activité de groupe amusante est un très bon moyen d'apprendre cela.

664 un collier de friandises

Proposez à votre enfant de fabriquer un collier comestible en enfilant des céréales percées d'un trou au milieu ou des bretzels (ou n'importe quelle autre friandise) sur une ficelle.

665 stationnement autorisé

Alignez des « places de stationnement » découpées dans du papier d'emballage multicolore et demandez à votre enfant d'y garer ses voitures. Chaque voiture doit se retrouver sur une place de la même couleur qu'elle.

666 un public en or

Votre enfant ne connaît pas tous les textes de ses livres préférés, mais ça, le chien ne le sait pas. Alors installez votre tout-petit à ses côtés et demandez-lui de lui faire la lecture. Si vous n'avez pas de chien, un chat ou une peluche feront parfaitement l'affaire !

667 des copains microscopiques

Si vous ne craignez pas les insectes, votre enfant a de grandes chances de suivre votre exemple. Ensemble, observez les papillons dans le jardin et laissez les chenilles grimper sur vos mains. Faites preuve de prudence, mais apprenez-lui à ne pas paniquer face aux insectes qui piquent, comme les abeilles.

668 des chaussettes uniques

Mettez une demi-douzaine de pièces ou de billes dans une paire de chaussettes de sport blanches en coton. Tendez le tissu autour des pièces ou des billes de manière à former des bosses, et maintenez ces bosses en place avec des bouts de ficelle ou des élastiques. Mélangez de la teinture pour tissu dans un seau d'eau et laissez votre enfant tremper les chaussettes dedans. Immergez-les complètement et suivez les instructions figurant sur le paquet. Une fois que vous les avez sorties, rincez bien les chaussettes puis passez-les au sèche-linge. Défaites les ficelles et découvrez sa nouvelle paire de chaussettes *tie-dyed* – succès assuré auprès de n'importe quel enfant !

669 théâtre de marionnettes

Prenez un morceau de tissu de 90 cm de long et rabattez un ourlet de 5 cm dans le haut pour faire une coulisse. Piquez. Passez une tringle à ressort (pour accrocher les rideaux sans faire de trous) dans la coulisse et accrochez le rideau en travers d'un passage de porte, à environ 90 cm du sol. Donnez à votre enfant toutes sortes de marionnettes et d'accessoires.

3+ À partir de trois ans

Points de repère

En vous observant, votre enfant apprend des gestes, des comportements et des aptitudes qui lui seront essentiels en société.

- En accomplissant des tâches pour vous, comme balayer les feuilles qui encombrent l'allée, il prend confiance en lui.

- En organisant un spectacle de marionnettes et des jeux de rôles, il peut s'entraîner à parler de ses sentiments.

- S'habiller sans l'aide d'un adulte est une étape importante vers l'indépendance.

Votre enfant a trois ans. Il est de plus en plus indépendant et sa façon de manier les mots vous émerveille. Il a envie de vous faire plaisir, de vous faire rire et de vous rendre service, et même s'il adore se faire des copains, il reste très centré sur la famille. Chaque heure du jour est l'occasion d'apprendre quelque chose, il est perméable à tout : ce qui est nouveau comme ce qui ne l'est pas, ce qui lui permet d'affirmer son indépendance comme ce qui lui permet de rester proche de vous, la routine comme les événements inattendus. Pour un enfant de trois ans, chaque jour est une fête.

670 à l'envers

Les enfants adorent les situations incongrues. Décrétez une « journée à l'envers » : ce jour-là, aidez votre enfant à enfiler ses vêtements à l'envers, marchez ensemble à reculons… Au bout d'un moment, vous ne saurez plus où vous en êtes !

671 premiers pas sur l'ordinateur

Tracez un grand carré divisé en trois lignes et trois colonnes (comme pour le jeu de morpion) sur l'écran de votre ordinateur. Montrez à votre enfant comment appliquer la couleur qu'il veut dans la case qu'il a choisie. Laissez-le découvrir les couleurs et les motifs.

672 lui préparer un circuit

Si votre tout-petit fait du tricycle, aidez-le à s'améliorer en utilisant une craie pour lui dessiner un parcours qu'il pourra suivre dans une zone libre. Incluez des tournants, des boucles, des panneaux de stop. Il appréciera ce nouveau défi – et ses nouveaux talents de pilote.

673 mosaïque de haricots

Versez un assortiment de haricots secs sur un plateau et préparez du carton, de la colle et quelques feutres non toxiques. Demandez à votre enfant de tracer des formes sur le carton et montrez-lui comment coller les haricots à l'intérieur de celles-ci pour les remplir.

674 une journée haute en couleur

Demandez à votre enfant de choisir une couleur pour la journée. Si c'est le rouge, il peut, par exemple, porter un tee-shirt rouge et peindre des fraises sur une feuille de papier. Ensuite, installez-vous pour lire ensemble *Le Petit Chaperon rouge*.

675 les maisons des animaux

Lisez ensemble un livre sur l'habitat des animaux sauvages, puis allez voir dans le jardin si vous en trouvez. Examinez attentivement certains endroits : les branches des arbres pour les nids d'oiseaux et d'écureuils, les trous dans le sol pour les terriers de lapin ou les taupinières, le dessous des feuilles pour les cachettes d'insectes.

676 la marche des canards

Fabriquez-lui des pieds de canard avec lesquels il pourra se déplacer en se dandinant. Pour cela, prenez deux blocs de mousse jaune un peu plus longs que ses pieds. Puis, dans chaque bloc, découpez deux fentes horizontales (perpendiculaires au sens des pieds) de 13 cm de largeur, espacées de 5 cm. Il lui suffira de glisser ses pieds sous cette « bride » pour que la mousse tienne en place.

677 séance de compote

Trouvez une recette de compote. Demandez à votre enfant d'écraser les fruits et ajoutez les autres ingrédients. Laissez-le tartiner lui-même votre compote maison sur une bonne tranche de pain.

678 une guirlande « tie and dye »

Pliez en accordéon une feuille de papier dans le sens de la longueur. Pliez la bande obtenue, toujours en accordéon, pour obtenir un petit carré. Diluez plusieurs couleurs de peinture dans de l'eau pour lui donner la consistance du lait. Versez chaque couleur dans un compartiment d'un moule à muffins. Demandez à votre enfant de tremper chaque coin du carré dans une couleur. Dépliez le papier encore mouillé et laissez-le sécher.

679 on brosse

À trois ans, votre enfant peut maintenant se brosser les dents (presque) tout seul. Regardez ses efforts avec intérêt, et félicitez-le quand le travail est bien fait. Il sera très fier !

680 jeux de rimes

Choisissez des jeux simples pour aider votre enfant à comprendre - et à apprécier - la magie des rimes. Demandez-lui : « Qu'est-ce qui rime avec patte ? Avec roi ? » Quand vous lisez une histoire tous les deux, dites-lui, par exemple : « Trouve-moi quelque chose sur l'image qui rime avec maison. »

681 constructions en trois dimensions

Aidez votre enfant à passer du stade de la peinture et du dessin « à plat » aux œuvres en trois dimensions. Donnez-lui de quoi sculpter des objets, des personnages et des animaux (en pâte à modeler, par exemple). Laissez-le choisir les accessoires à rajouter - gros boutons, cailloux…

Les puzzles aident votre enfant à identifier les formes de différentes dimensions et les relations qu'elles entretiennent.

3+
ans

683 les bruits de la nuit

Un soir où votre enfant est encore éveillé alors qu'il fait déjà nuit, habillez-le chaudement ou enveloppez-le dans une couverture et installez-vous tous les deux dehors. Prenez-le sur vos genoux et demandez-lui de fermer les yeux et d'écouter. Est-ce qu'il entend les criquets ? la chouette ? Essayez de distinguer les différents sons et parlez-en.

682 un voyage en avion bien préparé

Préparez un bagage à main que votre enfant pourra emmener en cabine avec lui. Mettez-y du papier, des crayons de couleur, des autocollants, un jouet et des livres. Sans oublier raisins et gâteaux secs, ainsi que quelque chose à mâcher pour « déboucher » les oreilles au moment du décollage. Pensez à demander une place près du hublot !

684 un insecte en boutons

Lisez ensemble un livre sur les insectes ou observez-en dans le jardin. Ensuite, proposez-lui de fabriquer lui-même un insecte avec des boutons, de la colle et du papier Canson. Montrez-lui comment coller les boutons à la queue leu leu et faites-lui ajouter un bouton plus gros pour la tête. Suggérez-lui de dessiner au feutre des yeux.

685 collages

Découpez des silhouettes d'animaux - moutons, canards… - dans du papier épais. Disposez devant votre enfant du matériel de travaux manuels - feutres non toxiques, crayons de couleur, papier d'emballage, magazines, nouilles - et laissez son imagination faire le reste pour créer sa propre ménagerie.

 En choisissant ses matériaux et en décidant de ce qu'il va créer, votre enfant peut exprimer ses préférences.

686 l'alphabet des animaux

Installez-vous avec votre enfant et lisez-lui un abécédaire avec des animaux. Demandez-lui ensuite de citer d'autres animaux qui commencent par a, b, etc.

687 parler à des marionnettes

Une marionnette peut aider votre enfant à exprimer ses sentiments les plus intimes. Peut-être même aura-t-il envie de créer un spectacle.

688 faites pousser des tournesols

Quel bonheur, cette fleur est aussi une friandise ! Au printemps, aidez votre enfant à semer des tournesols et regardez-les s'élever vers le ciel. Prenez des photos de lui lorsqu'il sème les graines, lorsque les germes commencent à sortir de terre et lorsque les tiges commencent à être plus hautes que lui. Aidez-le ensuite à coller les photos dans un album. Quand les fleurs arrivent à maturité en été, il peut alors les cueillir et déguster les graines.

689 observez les oiseaux

Aidez-le à se servir d'un ouvrage simple pour observer et identifier quelques-uns des oiseaux qui viennent se poser dans votre jardin. Il ne tardera pas à les reconnaître sans problème. Donnez-lui un appareil photo jetable pour qu'il puisse constituer son propre album.

690 invitations

Invitez les camarades de votre enfant à venir jouer chez vous. Pour les inciter à s'amuser ensemble, proposez-leur des activités comme faire des gâteaux, construire une ville entière en Lego ou organiser un jeu de piste.

691 couverture artisanale

Demandez à votre enfant de vous aider à découper des carrés dans des vêtements usés. Choisissez des étoffes chaudes et confortables, par exemple de vieux pyjamas ou des chemises en flanelle. Cousez-les ensemble, doublez-les d'un tissu solide et vous obtiendrez une couverture douillette pour les voyages en voiture.

3+ ans

692 fruits glacés

Voici un moyen simple et sain de faire plaisir à votre enfant. Demandez-lui de disposer ses fruits préférés coupés en morceaux dans un bac à glaçons et plantez sur chaque bout un pic en bois. Une fois qu'ils sont congelés, dégustez-les comme des friandises !

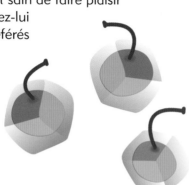

3+
ans

693 tout sur les aimants

Montrez-lui comment fonctionne un aimant en lui en proposant différentes sortes avec lesquelles il pourra jouer (sans oublier de rester à distance des ordinateurs et des montres). Rassemblez divers objets, et recherchez parmi eux ceux qui restent collés à l'aimant.

694 un arc-en-ciel à croquer

Faites tous les deux le marché et rapportez divers fruits et légumes de couleur vive (et riches en nutriments) : betteraves rouges, pommes de terre bleues (de Picardie), brocolis vert émeraude, raisin pourpre et fraises carmin. Le but du jeu est d'essayer de manger chaque jour le plus possible d'aliments de couleurs différentes.

695 histoire pour le bain

Pendant que votre enfant prend son bain le soir, lisez-lui une histoire. Si elle a un rapport avec la mer, il aura peut-être envie de la mimer avec ses jouets de bain. À la fin de l'histoire, votre petit moussaillon sera sans aucun doute propre, calme et prêt pour le pays des rêves.

696 le ver de terre

Assez discuté. Passez maintenant à l'observation avec un ver de terre. Vous n'aurez aucun mal à en trouver un dans votre jardin ou sur le trottoir après une averse. Observez-le sur place ou ramassez-le délicatement pour le poser dans la main de votre enfant. Demandez-lui de décrire la sensation qu'il a : est-ce froid, chaud, visqueux… ? Si vous ne trouvez pas de ver, essayez avec une fourmi.

697 manier les ciseaux, ça s'apprend

Pour apprendre à votre enfant à se servir de ciseaux à bouts ronds, proposez-lui de découper des franges le long d'une feuille de papier rigide. Dans un premier temps, tracez des lignes droites pour le guider, puis augmentez la difficulté en traçant des lignes courbes ou en pointillés.

 Découpez des images dans des magazines ou dans des catalogues et invitez votre enfant à les coller sur une feuille de papier.

698 le bac à sable

Trois ans, c'est l'âge d'or pour les adeptes du bac à sable. À cet âge, on éprouve encore un vrai plaisir à manipuler le sable (quelle merveilleuse sensation que de sentir couler le sable frais entre ses doigts alors qu'il fait chaud !), mais on sait aussi se donner un but précis : faire des tas, labourer, creuser des tunnels ou construire des châteaux. Les jouets pour s'amuser dans le sable n'ont pas besoin d'être sophistiqués. Cuillères, pelles, godets, tasses et un peu d'eau suffisent pour occuper un enfant dans le sable pendant des heures.

699 fouilles archéologiques

Avec de l'argile autodurcissante non toxique, modelez une coquille d'œuf autour de petits dinosaures en plastique et cachez-les. Puis demandez à votre explorateur en herbe de les chercher. Il peut se servir de ses outils d'archéologue (des cuillères et des marteaux en bois) pour extraire les créatures.

700 lecture au frais

Un jour où il fait chaud, demandez à votre enfant de choisir un livre à lire à l'ombre dans le jardin, et installez-vous tous les deux confortablement sur une couverture douillette. N'oubliez pas les boissons fraîches…

701 un collier de friandises pour les oiseaux

Montrez à votre enfant comment enfiler sur une ficelle des céréales en forme d'anneaux et nouez les extrémités pour maintenir le tout. Aidez-le à suspendre le collier à un arbre pour que les oiseaux puissent venir grignoter.

702 une clinique pour les poupées

Pour aider votre enfant à avoir confiance en lui et à être sensible aux autres, installez un cabinet de consultation pour ses poupées et ses peluches. Donnez-lui des compresses, une fausse seringue (les enfants adorent faire des piqûres) et un faux stéthoscope pour écouter le cœur de ses compagnons.

3+ ans

703 une cabane pour insectes

Fabriquez pour votre petit naturaliste une station pour observer les insectes : découpez une fenêtre sur le côté d'une boîte et collez sur l'ouverture un morceau de grillage fin ou un filet. Placez une coccinelle ou une sauterelle à l'intérieur de manière à pouvoir l'observer. Après avoir évoqué son alimentation et la nécessité de respecter les petites bêtes, relâchez l'insecte près de l'endroit où vous l'avez trouvé.

3+ ans

704 culture d'aromates

Aidez votre enfant à mettre des plants d'aromates dans trois larges pots en terre d'environ 10 cm de hauteur. Les enfants choisissent généralement le thym, la ciboulette et l'origan, mais on peut leur suggérer la menthe, le basilic. Placez les pots sur un rebord de fenêtre pas trop ensoleillé et chargez votre petit jardinier de maintenir le terreau humide. Dès que les plantes seront assez grandes, il pourra cueillir quelques feuilles pour cuisiner.

705 enregistrez la météo

Recouvrez un grand morceau de carton de feutrine bleu et vert pour évoquer l'herbe et le ciel. Découpez des formes dans de la feutrine : soleil, nuages blancs ou gris, gouttes de pluie, flocons de neige et éclairs. Puis demandez à votre enfant de reproduire sur son tableau le temps de la journée en déposant ces formes sur l'herbe ou le ciel.

706 les animaux en cailloux

Dans la campagne, ramassez ensemble des cailloux intéressants – brillants, striés... En rentrant, lavez-les et essuyez-les. Puis donnez à votre enfant du matériel (peinture et colle non toxiques, fil, boutons...) pour qu'il puisse fabriquer des animaux rigolos à partir de ses cailloux.

707 une plage en carton

Pour évoquer la plage lorsque l'été ou la mer sont loin, fabriquez vous-même une plage avec votre enfant. Demandez-lui de décorer du carton rigide avec du sable et des coquillages. Il peut peindre les vagues ou les découper dans du papier bleu.

708 jolis chatons

À la fin de l'hiver ou au début du printemps, emmenez votre enfant dans les bois ou dans un parc et cherchez ensemble des branches qui portent des chatons de saule, ces petites boules qui ressemblent à du coton. Ramenez-en quelques-uns à la maison et mettez-les dans un vase pour qu'il puisse les observer. Donnez-lui du papier et de la peinture marron pour dessiner les branches. Quand la peinture est sèche, faites-lui rajouter les chatons : il suffit de les coller sur le dessin avec de la colle non toxique.

709 des talents de constructeur

Pour l'aider à se repérer dans l'espace, développer son imagination et sa motricité fine ou l'inciter à construire une tour Eiffel, mettez à la disposition de votre apprenti maçon tous les matériaux dont il a besoin : blocs, rondins, briques qui s'emboîtent les unes dans les autres, godets à empiler et cartons à chaussures vides.

710 saut d'obstacles

Installez un parcours d'obstacles pour votre petit gymnaste, puis faites-le sauter par-dessus des oreillers, ramper sous la table ou sauter d'un marchepied. N'hésitez pas à l'encourager et à le soutenir. Restez toujours près de lui pour le surveiller.

711 les noms des autres

Faites un jeu avec les noms que votre enfant connaît. Commencez par lui dire son nom entier, puis demandez-lui le vôtre (prénom et nom). Il est important qu'il connaisse cette information en cas d'urgence. Demandez-lui aussi les noms de ses frères et sœurs, celui du chien ou de son ours. Faites-le réfléchir : « Tu es sûr(e) que je m'appelle Anne ? Je croyais que je m'appelais maman. Alors, si c'est Anne, est-ce que c'est Anne Dupont ? Non ? Tu as raison, c'est Anne Martin ! »

712 des friandises pour oiseaux

Ensemble, mélangez en quantités égales dans un saladier du beurre de cacahuètes, de la farine de maïs, des raisins secs, de petits morceaux de pomme et des graines pour oiseaux. Formez ensuite des boulettes. Mettez-les dans un filet en plastique (genre filet à pommes de terre) que vous suspendrez dehors.

713 mouillettes

Sortez une part de fromage à tartiner du réfrigérateur (pour qu'il soit à température ambiante). Préparez une assiette de raisins secs, de petits morceaux de dattes et d'éclats de noix de coco. Montrez à votre enfant comment tremper des bretzels en bâtonnets dans le fromage puis dans l'assiette pour y faire adhérer les fruits séchés.

714 des maths qui n'en ont pas l'air

Introduisez un peu de mathématiques dans les activités quotidiennes. Demandez à votre enfant de vous donner trois œufs pour faire un gâteau ou encore, si vous êtes à la plage, de verser du sable dans son seau jusqu'à mi-hauteur. Lorsqu'il commence à résoudre facilement des problèmes simples, augmentez la difficulté en lui demandant, par exemple : « Paul et Arthur viennent jouer cet après-midi ; il faudrait deux bonbons pour chacun d'entre vous. Combien dois-je en acheter ? »

715 biscuits maison

Demandez à votre enfant de mélanger dans un saladier un litre de flocons d'avoine et une petite quantité de germe de blé, de graines de tournesol ou de sésame, de raisins secs, de petits morceaux de fruits secs ou des éclats de noix de coco. Incorporez une grande cuillerée d'huile de colza et arrosez le tout de miel. Faites cuire 20 mn sur une feuille de papier cuisson à 160° C.

716 sac à pique-nique

Demandez à votre enfant de décorer des sacs en papier kraft à l'aide de timbres, d'autocollants et de dessins au feutre. Ou bien laissez-le rechercher des images cliparts sur l'ordinateur et imprimez-les sur des sacs en papier blanc (consultez le manuel de l'imprimante pour faire les bons réglages).

717 immortalisez le quotidien

Demandez à votre enfant de vous raconter une journée. Aidez-le ensuite à créer son « album d'un jour ordinaire » à l'aide de photos ou de dessins qui le montrent en train de prendre son petit déjeuner ou de jouer avec ses copains. Il appréciera dès maintenant, mais surtout dans les années à venir, cet album de souvenirs.

718 tir à la corde

Préparez une corde ou des foulards noués très serré. Mettez-vous chacun à un bout et tirez. Tirez doucement de votre côté pour laisser votre enfant tirer du sien, de manière qu'il se muscle et prenne confiance en lui. Pour que le jeu reste gai, laissez-le vous déséquilibrer !

719 questions-réponses

Développez l'esprit logique de votre enfant tout en le divertissant. Posez-lui des devinettes sur les animaux. Par exemple : « Qu'est-ce qui a quatre pattes et bêle ? », ou encore : « Quel est l'animal qui sautille en coassant ? »

720 mélange maison

Proposez à votre enfant d'améliorer la recette des biscuits donnée précédemment. Ajoutez quelques cuillères de cerises et d'ananas séchés, de petits morceaux de dattes, des bananes séchées, des amandes, des graines de tournesol, des pistaches ou des céréales. Bon appétit !

721 cueillette

Cherchez une ferme où l'on peut récolter soi-même fruits ou légumes. Les pommes, par exemple, sont faciles à cueillir pour un enfant. Ne restez pas trop longtemps, laissez-le grignoter un peu et porter une partie de la récolte jusqu'à la balance. Essayez de trouver une histoire ou un document sur le thème des fruits ou des légumes.

722 fil à fil

Donnez à votre enfant des fils de différentes couleurs, textures et longueurs. Ajoutez de la colle, du papier et diverses fournitures – bouton, pâtes… – et laissez-le réaliser de magnifiques collages.

723 Photomaton

Installez-vous tous les deux dans un Photomaton. Adoptez une expression différente pour chaque photo : prenez l'air idiot, sérieux ou endormi. Affichez la série de photos sur le réfrigérateur ou dans votre chambre. Ou bien recouvrez-la de plastique transparent adhésif et perforez-la, puis passez un ruban à travers le trou pour créer un marque-page qu'il adorera.

724 jouer avec des dominos

Installez ensemble une série de dominos en suivant une courbe et en plaçant que chaque domino à environ 2,5 cm du suivant. Aidez votre enfant à faire délicatement tomber le premier domino et voyez ce qui se passe ensuite.

725 à la rencontre des animaux

À trois ans, votre enfant sera certainement intéressé par une visite au zoo ou dans une ferme ouverte au public. Parlez des différents animaux que vous voyez et de leur façon de se nourrir. Chaque fois que votre enfant est en présence d'animaux, surtout s'il ne les connaît pas, surveillez-le bien et renseignez-vous pour savoir s'il peut les caresser sans danger. Montrez-lui comment se déplacer doucement et lentement pour ne pas faire peur aux bêtes. Et n'oubliez pas de vous laver les mains tous les deux après la visite.

3+ ans

726 nos amies les chauves-souris

Expliquez à votre enfant que les chauves-souris utilisent leur propre système radar pour chasser et qu'elles consomment des centaines d'insectes par jour. Profitez de la nuit pour observer le ciel à la recherche de ces volatiles nocturnes. Insistez sur le fait que chaque animal joue un rôle important - les abeilles fabriquent le miel et les vers de terre aèrent la terre - et que la plupart sont inoffensifs si on ne les embête pas.

727 on saute de joie

Il est difficile de sauter à cloche-pied, mais bientôt votre petit bout pourra sautiller partout.

728 en vol

Initiez votre enfant à la fabrication et au lancement d'avions en papier. Faites-lui d'abord colorier une feuille avec des crayons de couleur ou des feutres. Montrez-lui ensuite comment la plier pour en faire un avion, avant de le faire voler. Stimulez son imagination en discutant des endroits où il aimerait aller un jour en avion.

729 des objets d'art en cure-pipe

Donnez à votre enfant toutes sortes de cure-pipes, d'épaisseur, de longueur et de couleur différentes. Laissez-le les tordre à sa guise pour exprimer toute sa créativité. S'il veut rajouter des accessoires pour enrichir ses créations, donnez-lui des pompons, du fil et des boutons.

730 une bouffée de souvenirs

Sortez ses jouets de bébé de la cave ou du grenier. Même si votre enfant est trop grand maintenant pour jouer avec, il sera ravi de retrouver ses jouets qui couinent, ses hochets, ses premiers livres, ses boîtes à musique et d'évoquer avec vous sa « prime enfance ».

731 de nouvelles couleurs

Les enfants de trois ans connaissent en général les couleurs de base, mais pas forcément les différentes nuances. Montrez au vôtre comment trier les crayons de couleur par groupes : tous les bleus ensemble, ou bien les verts ou les roses, par exemple. Proposez-lui d'inventer lui-même des noms de couleurs, par exemple jaune canard en caoutchouc, orange confiture ou lait au chocolat.

732 nos amis les animaux

Un enfant de trois ans est assez grand pour bien s'entendre avec les chats, les chiens, les souris ou tout ce qui peut trouver refuge sous votre toit. Demandez à votre enfant de nourrir les animaux de la famille, de remplir leur bol d'eau, de les brosser, d'essuyer les empreintes de leurs pattes ou l'eau qu'ils renversent. Il peut même vous aider à les dresser en leur donnant une petite friandise pour les récompenser lorsqu'ils obéissent bien !

733 chansons sans frontières

Pour familiariser votre enfant avec les langues étrangères, procurez-vous les paroles de chansons qui sont les mêmes dans plusieurs pays et essayez de les chanter ensemble. Commencez, par exemple, par *Joyeux anniversaire*.

Joyeux anniversaire…
En anglais :
Happy birthday to you
Happy birthday to you Paul
Happy birthday to you.
En allemand :
Zum Geburstag viel Glück
Zum Geburstag viel Glück
Zum Geburstag viel Glück Paul
Zum Geburtstag viel Glück.

734 un miroir pour se dessiner

Votre enfant est maintenant assez grand pour essayer de dessiner d'après nature. Proposez-lui de se mettre debout devant un miroir, d'étudier son reflet et de se rasseoir pour dessiner ce qu'il a vu. Il a le droit de revenir devant le miroir pour se rafraîchir la mémoire !

735 une chanson en peinture

Si votre petit Picasso manque d'inspiration, proposez-lui de danser et de chanter sur sa chanson préférée. Demandez-lui ce qu'il ressent et suggérez-lui d'essayer d'illustrer ses sentiments.

736 étirements

Votre enfant adore certainement bouger et reproduire vos gestes. Pourquoi ne pas vous mettre ensemble au yoga ? Procurez-vous un livre ou un DVD présentant de nombreuses postures – les enfants adorent celle du « chien tête en bas » – ou prenez un cours ensemble !

737 expérience de sciences naturelles

S'il gèle à pierre fendre, remplissez un moule à gâteau aux deux tiers d'eau. Demandez à votre enfant de vous apporter des brindilles de feuillage vert et mettez-les dans le moule. Faites une boucle avec de la ficelle et immergez-la à moitié dans l'eau. Laissez le moule dehors jusqu'à ce que l'eau gèle, puis sortez la glace du moule et suspendez l'œuvre d'art. S'il fait chaud, utilisez le congélateur.

738 un sac pour les moments tranquilles

Remplissez un petit sac avec des objets qui permettront à votre enfant de passer le temps tout en se tenant tranquille. Mettez-y, par exemple, une petite peluche, des marionnettes à doigts, une poupée de chiffon et un livre en tissu. Gardez ce sac uniquement pour les occasions où votre enfant devra rester silencieux.

739 impressions

Modelez ensemble de l'argile autodurcissante pour obtenir une petite boule. Aplatissez-la. Demandez à votre enfant d'enfoncer légèrement dans l'argile une feuille d'arbre, un coquillage pour que le dessin s'imprime en relief. Percez un trou sur le bord pour suspendre votre création.

740 histoires de poissons

Lisez à votre enfant quelques livres sur les poissons et la vie sous-marine. Puis emmenez-le visiter un aquarium. Observez les animaux marins, commentez ensemble ce que vous voyez et repérez ceux qui vous plaisent le mieux. Votre enfant préfère-t-il les poissons aux magnifiques couleurs, les crabes rigolos ou les gracieuses étoiles de mer ? Demandez-lui ce qu'il aimerait être et pourquoi.

741 jeux de mots

Jouez avec les mots et cherchez des rimes et des allitérations amusantes. Dites par exemple à votre enfant : « Mange ton râteau… je veux dire ton château… euh non, ton gâteau. » Demandez-lui de répéter la célèbre phrase : « Les chaussettes de l'archiduchesse sont-elles sèches ou archisèches », ou encore : « Piano, panier » plusieurs fois.

742 triez le linge

Égayez les jours de lessive en faisant d'une tâche ménagère un jeu de tri très amusant. Demandez à votre enfant de remettre les chaussettes propres par paires et de séparer les grands tee-shirts des petits. Non seulement il appréciera de pouvoir vous aider, mais il apprendra en même temps à associer les objets.

Trier, ranger et empiler les objets sont des activités qui développent les capacités de raisonnement de votre enfant.

743 surprise pour un petit malade

Il y aura des jours où votre enfant sera trop malade pour sortir, mais où il se sentira assez bien pour s'occuper à l'intérieur de la maison – et apprécier qu'on s'occupe un peu de lui. Pour ces jours-là, préparez et mettez de côté une boîte ou un panier remplis de choses qui vous aideront à remonter le moral de votre petit convalescent : des tatouages lavables à l'eau, de la pâte à modeler, une jolie carafe à eau (idéale pour l'inciter à boire beaucoup) et un livre d'énigmes faciles, de coloriages ou de labyrinthes

744 un cadre unique

Créez un chef-d'œuvre en recyclant un puzzle incomplet. Aidez votre enfant à coller les pièces sur un cadre photo en carton (achetez-le ou fabriquez-le vous-même). Une fois que la colle est sèche, laissez-le décorer les trous avec de la peinture, des paillettes, des boutons.

745 l'ananas en pot

Découpez vous-même le sommet d'un ananas avec les feuilles. Placez-le dans l'eau. Au bout de quelques jours, des racines se formeront. Rempotez alors le plant dans du terreau et demandez à votre enfant de toujours maintenir la terre humide. Il aura rapidement la fierté de voir pousser sa plante – et, qui sait, un jour son ananas !

746 jeux de lettres

Quand votre enfant prend son bain, donnez-lui des lettres en mousse qui flottent dans la baignoire. Montrez-lui comment appliquer les lettres mouillées sur le côté de la baignoire. Profitez-en pour lui apprendre à les reconnaître, ou laissez-le simplement se familiariser avec l'alphabet.

3+ ans

747 les biscuits numérotés

Préparez des biscuits ronds (des sablés, par exemple) avec votre enfant. Laissez-les refroidir et remplissez un bol de myrtilles. Demandez-lui de « numéroter » chaque gâteau en mettant une myrtille sur le premier, puis deux sur le deuxième, etc. Il devra ensuite prendre une décision difficile : doit-il déguster les gâteaux du 1 au 5, ou commencer par le 5 et compter à rebours ?

748 à la découverte de nouveaux aliments

Présentez régulièrement de nouveaux aliments à votre enfant pour qu'il découvre une grande variété de goûts et de textures, et qu'il ait le goût des nouvelles expériences...

749 la balançoire

Emmenez votre enfant au parc
et choisissez une balançoire munie
d'un siège en plastique. Aidez-le à prendre
de l'élan. Montrez-lui comment conserver
le mouvement de la balançoire : guidez l
e mouvement de ses jambes jusqu'à
ce qu'il soit en l'air, puis lâchez-le
et faites-les-lui replier quand il revient
en arrière. Asseyez-vous ensuite
sur une autre balançoire
et faites le mouvement
en même
temps
que lui.

750 attention aux boules de neige

Montrez à votre enfant comment rouler une boule
de neige par terre pour la faire grossir et construire
des bonshommes ou des animaux, qu'il décorera
avec des carottes, des brindilles ou des cailloux.
À son âge, il peut marcher dans la neige,
à condition toutefois qu'elle ne soit pas trop
profonde. Il n'y a pas de neige là où vous vivez ?
Qu'importe, vous pouvez en fabriquer
avec du savon en paillettes et de l'eau.

751 des cartes postales artisanales

Découpez une feuille de papier pour aquarelle
(vous en trouverez dans une boutique
de fournitures pour dessin) en plusieurs morceaux
de la taille d'une carte postale. Montrez
à votre enfant comment passer un pinceau mouillé
sur la feuille, avant de la tamponner
avec un pinceau trempé dans de la peinture.
Cette technique permet de produire des effets
qui rappellent tout à fait un coucher de soleil,
une ombre ou un reflet.

752 lancers d'éponge

Pour vous rafraîchir un jour où il fait très chaud,
amusez-vous à vous lancer une grosse éponge
imbibée d'eau froide. Vous pouvez aussi demander
à votre enfant de l'envoyer en l'air et d'essayer
de la rattraper.

753 des bretzels maison

Aidez votre enfant à rouler de la pâte à pain pour former de longs serpents. Pliez-la ensuite pour lui donner la forme de bretzels (ou une forme amusante). Mettez-les sur une feuille de papier cuisson, badigeonnez-les d'eau et saupoudrez-les de gros sel. Laissez-les refroidir avant de les grignoter.

754 une toise à la hauteur

Déroulez un long morceau de papier sur lequel votre enfant pourra peindre un arbre, une fleur ou une guirlande de feuilles. Ensuite, mesurez-le et ajoutez une feuille, une fleur ou un papillon pour marquer sa taille. En face, notez la date et l'âge de votre enfant.

755 art abstrait

En faisant glisser sur une grande feuille de papier des morceaux de ficelle trempés dans de la peinture, votre enfant réalisera peut-être une grande œuvre d'art. Installez-le sur un sol lavable. Il peut se contenter d'une ficelle et d'une couleur, avec lesquels il répétera éventuellement plusieurs fois l'opération, ou prendre une autre ficelle et la tremper dans une autre couleur.

756 des livres à suivre

Afin de développer l'intérêt de votre jeune lecteur pour la lecture, choisissez des collections dans lesquelles il pourra retrouver les personnages qu'il aime dans de nouvelles aventures, comme Lulu Grenadine, Emma ou SamSam. Il aura l'impression de faire partie de leurs vies !

757 un bar à céréales

Si votre enfant apprécie les céréales dans du lait, vous n'aurez aucun mal à lui faire prendre un petit déjeuner sain. Pour éviter la routine, surprenez-le en le lui proposant sous forme de buffet. Préparez plusieurs mélanges dans de petits bols : raisins et autres fruits secs, amandes effilées, cerneaux de noix, tranches de banane.

758 des lettres à toucher

Découpez les lettres du prénom de votre enfant dans du papier de verre. Proposez-lui de suivre leur forme avec le bout de son doigt pour le familiariser avec l'alphabet. Profitez-en pour commencer à lui apprendre à épeler son nom.

759 un geste pour les animaux

Trois ans, c'est un peu jeune pour s'engager dans le volontariat, mais rien n'empêche votre enfant d'aider les bêtes en portant de vieilles couvertures ou des boîtes de nourriture dans un refuge pour animaux, ou encore de vous aider à nourrir le chien du voisin !

760 la maison en pain d'épices

Racontez à votre enfant l'histoire de Hansel et Gretel, un conte de Grimm dans lequel une méchante sorcière habite une maison en pain d'épices. Profitez de l'occasion pour confectionner ensemble une petite maison à l'aide de morceaux de pain d'épices que vous assemblerez grâce à un mélange de sucre glace et de blanc d'œuf. Pour plus de commodité, utilisez une poche à douille. Une fois que la maison est terminée, il peut la décorer avec des bonbons multicolores.

761 thé glacé

Quand il fait très chaud, prévoyez un thé déthéiné glacé, mais laissez votre enfant – et le soleil – faire le travail. Demandez-lui de déballer plusieurs sachets de thé (ou de tisane) et de les mettre dans un broc d'eau. Recouvrez celui-ci d'un film plastique et posez-le dehors, dans un endroit ensoleillé. Laissez le thé infuser plusieurs heures. Servez avec des glaçons.

762 enfilage de perles

Votre enfant est maintenant capable de manipuler de petites perles et du fil. Il découvrira certainement avec plaisir les perles en forme de dés sur lesquels sont imprimées les lettres de l'alphabet (pour composer son nom).

763 regarder les bulles s'envoler

Laissez votre enfant faire des bulles aussi grosses que possible (peut-il faire une bulle à l'intérieur d'une autre ?) et regardez-les s'envoler.

 Pour faire votre propre mélange à bulles, mélangez un verre d'eau, une cuillerée à café de glycérine et deux cuillerées à soupe de liquide vaisselle.

764 bonjour les coccinelles

Découpez des cercles rouges dans du papier Canson. À l'aide de feutres, aidez votre enfant à transformer ces cercles en coccinelles. Laissez-le ajouter d'autres détails, s'il en a envie, par exemple des allumettes pour les antennes.

765 toasts maison

Les enfants adorent l'apéritif… pour les gâteaux. Pourquoi ne pas remplacer ceux-ci par des toasts que vous préparerez ensemble avec des tranches de pain de mie coupées en quatre et divers ingrédients : pâté, fromage fondu, cornichons, câpres, jambon, anchois, roquefort…

766 un lapin gourmand

Voici un moyen infaillible de faire aimer à votre enfant des légumes. Disposez des bâtonnets crus sur une assiette et préparez quelques sauces froides simples dans lesquelles il pourra les tremper. Expliquez-lui que les lapins adorent ça !

767 des taches d'encre mystérieuses

Demandez à votre enfant de plier une feuille de papier en deux, puis de la déplier et de faire tomber quelques gouttes de peinture sur l'une des deux moitiés. Aidez-le ensuite à replier la feuille. Faites-la-lui ouvrir à nouveau et demandez-lui ce que son dessin lui évoque.

3+ ans

768 un copain douillet

Dessinez les contours d'un mouton à la craie sur une feuille de papier Canson noir. Puis donnez à votre enfant un paquet de boules de coton et de la colle, et montrez-lui comment remplir la silhouette pour obtenir un mouton doux. S'il ne recouvre pas la tête, il peut se servir de la craie pour rajouter des yeux et une bouche.

769 un tableau portatif

Choisissez une boîte avec un couvercle à charnière et peignez celui-ci avec de la peinture à tableau. Proposez à votre enfant d'y ranger ses craies de couleur – sans oublier le chiffon pour effacer.

770 camping dans le jardin

Installez un terrain de camping pour la famille dans votre jardin. Faites griller des saucisses et des marshmallows au barbecue, lisez des histoires à la lueur d'une torche, puis glissez-vous dans votre nid pour dormir. S'il se met à faire froid ou que les bruits de la nuit vous réveillent, finissez la nuit dans votre lit. Vous n'avez pas de jardin ? Alors campez dans votre salon !

3+ ans

771 une cabane avec des haricots

À la fin des gelées, aidez votre enfant à planter quatre ou cinq grandes tiges de bambou dans le sol du jardin. Disposez-les en cercle d'environ un mètre de diamètre. Rassemblez les extrémités supérieures et maintenez-les avec de la ficelle. Plantez une graine de haricot à la base de chaque tuteur. Au fur et à mesure que les haricots poussent, montrez-lui comment les enrouler et les fixer sur les tuteurs pour créer un vrai tipi !

772 patchwork en papier

Expliquez à votre enfant comment on crée un ouvrage en patchwork avec des chutes de tissu. Puis faites-lui fixer – avec de la colle non toxique – des carrés de papier Canson de couleur sur une grande feuille en créant le motif de son choix. Suspendez son œuvre au mur sur une ficelle tendue entre deux clous, à l'aide de pinces à linge.

773 peinture au tampon

Installez votre enfant avec des tampons (ou tout simplement avec des pièces de puzzle ou des lettres et des formes en mousse pour le bain). Montrez-lui comment les presser contre un tampon imbibé d'encre ou de peinture avant de les appliquer sur une feuille.

774 collage à partir d'une forme

Aidez votre enfant à reconnaître et à nommer les formes en lui faisant réaliser un dessin à partir d'une seule forme – carré ou triangle par exemple – déclinée de différentes façons. Commencez par le familiariser avec cette forme. Aidez-le à la découper dans du papier Canson, du papier d'emballage, des magazines, des journaux ou même un morceau de tissu. Il s'en servira ensuite pour réaliser un personnage, un animal ou un motif abstrait en les collant sur une feuille.

775 l'araignée sur sa toile

Incitez votre enfant à dépenser son trop-plein d'énergie en lui demandant d'imiter différents animaux et insectes. Une bonne idée pour commencer : l'araignée. Allongé sur le dos, bras et pieds en l'air, demandez-lui de les remuer le plus vite possible, comme une araignée qui se déplace sur sa toile.

776 la piscine

Pour vous amuser tout en faisant de l'exercice, passez un moment à la piscine. Si votre enfant n'a pas encore eu l'occasion d'apprendre les gestes de la natation, il est maintenant en âge de le faire. Au cas où vous ne seriez pas un excellent nageur, commencez par prendre des cours ensemble. Et n'oubliez pas la règle : ne jamais laisser un enfant sans surveillance près d'un point d'eau.

777 la chasse aux trésors

Dressez avec votre enfant une liste de choses à trouver à l'occasion d'une chasse aux trésors dans les bois ou dans le parc (en vous servant à la fois de mots et d'images). Cette liste peut être très variée : une petite branche fourchue, un gland, un caillou blanc, une coccinelle, un nid d'oiseau… Partez ensuite en promenade et cherchez tous ces objets. Un autre jour, vous pouvez dresser une liste de choses à trouver en ville. Proposez-lui, par exemple, de chercher un grand bac à fleurs, une horloge, un banc ou une fontaine.

3+ ans

778 laisser son empreinte

Placez plusieurs grandes feuilles de papier épais sur un sol lavable. Versez de la peinture non toxique et lavable dans des plats peu profonds et laissez votre enfant s'y tremper les pieds avant de danser sur le papier.

779 dégustation à l'aveugle

Le jour où vous préparez une salade de fruits, proposez à votre enfant un jeu. Demandez-lui de fermer les yeux et de goûter un fruit, puis de parler de son odeur et de sa texture. Est-ce que c'était acide comme la pomme ? ou doux comme la banane ?

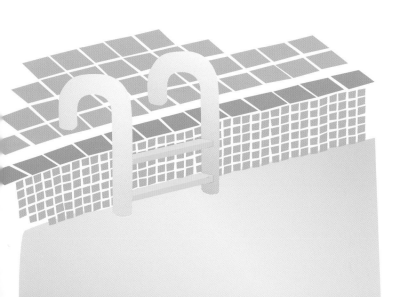

4+ À partir de quatre ans

Points de repère

Invitez d'autres enfants pour jouer avec lui ; c'est amusant et cela lui apprendra à se faire des amis.

• Attendez-vous à l'entendre bavarder constamment ; il enrichit tous les jours son vocabulaire.

• En versant, en mesurant et en comptant, il apprend à manipuler les chiffres et les nombres.

• Il apprend à reconnaître les lettres de son prénom et le rôle de l'écrit dans le monde qui l'entoure.

Votre enfant a quatre ans et sait parfaitement gérer de nombreuses situations. Il est fier de son vocabulaire et doté d'un certain sens de l'humour, mais il peut être parfois agressif. En revanche, il s'énerve moins facilement que quand il était plus petit, car il comprend mieux les raisons pour lesquelles il ne peut pas toujours obtenir ce qu'il veut. Sa motricité globale et sa motricité fine se sont également perfectionnées. Il est donc désormais mieux armé pour de nouvelles découvertes – même s'il a toujours besoin que vous restiez près de lui.

780 sauver la planète

Il n'est jamais trop tôt pour apprendre à votre enfant à trier les déchets. Habituez votre petit écologiste à mettre les vieux papiers dans la poubelle à recyclage pour protéger les forêts.

781 banane au barbecue

Préparez un banana split sur le barbecue du jardin (ou, à défaut, dans votre four). Fendez une banane non pelée en suivant sa courbe et demandez à votre enfant de glisser dans cette ouverture des mini-marshmallows et des pépites de chocolat. Enveloppez la banane dans deux couches de papier d'aluminium et faites-la cuire.

782 une voiture en carton

Pour se fabriquer une voiture, votre enfant n'a besoin que d'un grand carton et de quelques feutres. Retirez bien toutes les agrafes et aidez-le à ajouter quelques accessoires : des assiettes en carton pour les roues, des gobelets en carton pour les phares… Ajoutez éventuellement une petite remorque pour transporter une peluche, et en avant toutes !

783 bateau sur l'eau

Demandez à votre enfant de colorier au pastel une feuille de papier. Aidez-le ensuite à la plier pour confectionner un bateau très simple qu'il pourra faire flotter dans son bain ou dans une pataugeoire. La cire des crayons aide l'embarcation à rester à la surface de l'eau.

784 le jeu des syllabes

Apprenez à votre linguiste en herbe à reconnaître les différents éléments d'une phrase : faites-lui marquer les syllabes des mots en frappant dans les mains. Pour que cela soit encore plus drôle, faites-lui écouter une chanson qu'il aime.

785 un jeu de morpion portatif

Aidez votre enfant à se fabriquer un jeu de morpion portatif. Faites-lui dessiner un quadrillage sur du carton épais que vous ferez plastifier dans une boutique de photocopie. Percez un trou dans l'un des angles et attachez-y une ficelle au bout de laquelle vous aurez fixé un feutre effaçable. Après une partie, il suffit d'essuyer le plastique avec un mouchoir en papier.

4+ ans

786
la calculette

Apprenez à votre enfant à manipuler une calculette (pour ses petits doigts, choisissez-en une avec de grosses touches). Cette activité lui permet d'améliorer sa coordination et d'éveiller chez lui un intérêt pour les chiffres et les opérations simples.

787
sable multicolore

Donnez à votre enfant du sable de plusieurs couleurs, des petits pots pour bébé vides et propres (sans les étiquettes) et une cuillère. Il pourra ainsi créer des œuvres d'art en versant successivement les différentes couleurs de sable dans les pots.

788
offrez des fleurs

Les enfants adorent cueillir et offrir des fleurs pour faire plaisir aux gens qu'ils aiment. Pas besoin d'attendre une occasion particulière pour cela. Aidez-le à cueillir et à attacher un minuscule bouquet, puis à y accrocher un gentil petit message. Il pourra, par exemple, l'offrir à quelqu'un de la maison, à un voisin, à la maîtresse ou à sa grand-mère.

789
le magasin d'instruments de musique

Emmenez votre enfant flâner dans un magasin d'instruments de musique. Il pourra écouter les clients qui testent des instruments et éventuellement essayer un clavier électronique, une batterie ou un triangle. Vous pouvez même acheter un instrument facile d'utilisation pour un tout-petit, comme le mirliton ou le tambourin.

790
des livres pour apprendre

La bibliothèque de votre enfant ne doit pas comporter que des livres d'histoires. N'oubliez pas les livres documentaires. En effet, les petits adorent feuilleter des ouvrages sur les animaux, les moyens de transport ou les dinosaures...

791
l'arbre généalogique

Demandez à votre enfant de dessiner un arbre constitué de plusieurs branches. Découpez des cercles dans une autre feuille, sur lesquels il essaiera de dessiner les membres de sa famille. Aidez-le ensuite à les coller sur l'arbre.

4+
ans

 Créez un album de famille avec la photo de chacun de ses membres.

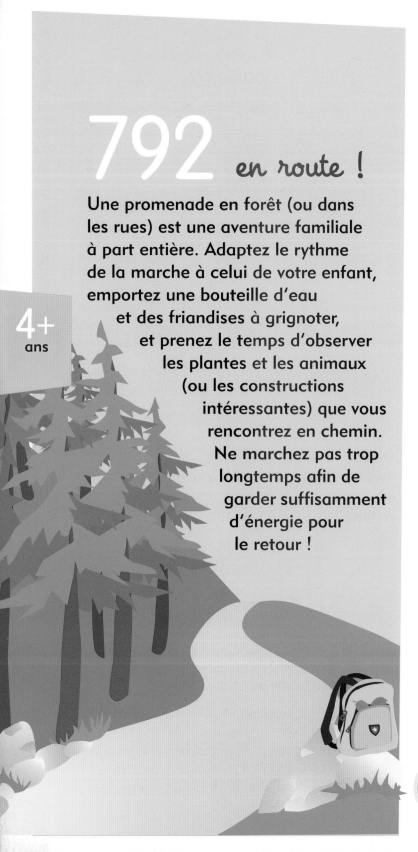

792 en route !

4+ ans

Une promenade en forêt (ou dans les rues) est une aventure familiale à part entière. Adaptez le rythme de la marche à celui de votre enfant, emportez une bouteille d'eau et des friandises à grignoter, et prenez le temps d'observer les plantes et les animaux (ou les constructions intéressantes) que vous rencontrez en chemin. Ne marchez pas trop longtemps afin de garder suffisamment d'énergie pour le retour !

793 le musée des Arts et Traditions populaires

Votre enfant y découvrira comment vivaient les gens autrefois. Renseignez-vous pour savoir si le musée propose des ateliers ouverts aux enfants, par exemple pour apprendre à battre le beurre ou goûter des plats anciens.

794 un marque-page en perles

Coupez un morceau de ficelle de chanvre ou de lin d'environ 30 cm de longueur. À environ 8 cm de chaque extrémité, faites un double nœud pour retenir les perles. Demandez à votre enfant d'enfiler quelques perles à chaque bout, puis refaites un double nœud pour que les perles ne s'échappent pas.

795 que la lecture commence !

Votre enfant peut maintenant s'intéresser aux livres qui comportent davantage de texte, et même commencer à reconnaître quelques mots simples pendant que vous lui lisez une histoire. Faites-en un jeu à la fin de l'histoire.

 Dans votre rituel de coucher, intégrez la lecture de son livre d'histoires préféré. C'est une façon câline et apaisante de conclure une journée bien remplie.

796 la pêche miraculeuse

Demandez à votre enfant de dessiner plusieurs poissons de formes, de tailles et de couleurs différentes, puis de les découper. Attachez solidement un aimant à l'extrémité d'une « canne à pêche » (un bâton et de la ficelle) et aidez-le à fixer un trombone à chaque poisson. Prenez un carton ou délimitez un coin de tapis pour faire la « mare » et laissez votre enfant remonter ses prises.

797 autoportraits

Comment votre enfant se voit-il lui-même ? Le meilleur moyen de le savoir est de lui demander de se dessiner. Proposez-lui de faire des dessins de son visage, de son corps et de lui en train de faire quelque chose qu'il aime. Collez-les dans un album en indiquant la date. L'année prochaine, vous lui demanderez de faire de nouveaux dessins de lui.

798 classement par couleurs

La chambre de votre enfant est en désordre ? Apprenez-lui à la remettre en ordre en triant les objets par couleurs. Demandez-lui, par exemple, de ranger d'abord tout ce qui est rouge, puis ce qui est marron, etc., jusqu'à ce que sa chambre soit impeccable.

799 pailles naturelles

Un jour où il fait beau, proposez à votre enfant de faire une partie de bulles. Ramassez dans un champ fraîchement moissonné de « vraies » pailles et trempez les extrémités dans du liquide à bulles. Rien ne vous empêche de prévoir un concours de la plus grosse bulle !

4+
ans

800 la trousse de secours

On n'est jamais trop prévoyant. Préparez avec votre enfant une trousse de secours pour la famille. Prenez une boîte en plastique et mettez-y de la pommade pour les coups, de la crème contre les démangeaisons, une pince à épiler, du sparadrap, des compresses et des lingettes antiseptiques.

801 une pâte à modeler délicieuse

À partir d'une pâte à pain, demandez à votre enfant de créer ce qu'il veut : un serpent à la langue fourchue, un lion à la crinière faite de petites bandes de pâte… Faites cuire à 190° C jusqu'à ce que ses réalisations soient bien dorées… et dégustez !

802 partie de badminton

L'avantage du badminton, c'est que le volant est léger et ne présente aucun danger. Votre enfant sera tout excité quand il arrivera à l'envoyer par-dessus le filet. Si ce jeu est trop difficile pour lui, il peut se contenter de faire rebondir le volant sur sa raquette, ce qui lui permettra de travailler sa coordination.

803 le printemps en avance

Un jour où il ne gèle pas, cueillez quelques branches de forsythia et mettez-les dans un seau d'eau chaude pendant une heure. Transférez-les ensuite dans un vase rempli d'eau à température ambiante et attendez quelques jours : vous verrez apparaître de magnifiques fleurs jaune d'or dans la maison !

804 scrapbooking

Donnez à votre enfant un album pour l'initier au scrapbooking (quelques feuilles de plastique maintenues par une reliure suffisent). Il y rassemblera tous les souvenirs qui comptent le plus pour lui : cartes de vœux, cartes postales de vacances, billets de cinéma, fleurs séchées, feuilles mortes ou photos.

805 un équipement d'explorateur

Demandez à votre enfant de vous aider à couper les jambes d'un pantalon devenu trop court pour lui. Aidez-le à coudre tous les pans de tissu les uns aux autres, puis à attacher une cordelette aux passants des côtés pour faire des anses. Le voilà en possession d'un sac d'explorateur ! Mettez-y une boussole, une loupe, un stylo, un carnet, un goûter, une gourde d'eau et un petit guide de terrain. Ajoutez une bonne couche d'écran solaire et un chapeau pour protéger ses yeux du soleil, et le voici équipé pour explorer les coins les plus reculés de la planète ou, en attendant mieux, du jardin.

806 une gamelle personnalisée

Si votre enfant a de l'imagination, demandez-lui de s'amuser à décorer la gamelle en plastique du chat ou du chien à l'aide de feutres spéciaux.

807 le trèfle à quatre feuilles

Seulement un trèfle sur dix mille comporte quatre feuilles au lieu de trois. Si trouver un trèfle à quatre feuilles porte bonheur, c'est déjà un bonheur en soi que d'en chercher avec votre enfant par une belle journée.

En développant la discrimination visuelle de votre enfant, vous le préparez aussi à la lecture.

808 jeu de cartes

Distribuez quatorze cartes : sept pour vous et sept pour votre enfant. Chacun demande à tour de rôle à l'autre s'il a une carte particulière entre les mains (exemple : « Est-ce que tu as un trois ? »). Si l'autre a cette carte, il doit la donner. Sinon, il répond : « Pioche. » Le joueur prend alors une nouvelle carte. Si elle lui permet de former une paire, il pose la paire devant lui et repose une question. Le premier qui a formé des paires avec toutes ses cartes a gagné.

809 séance de poney

À quatre ans, un enfant est assez mûr et ses gestes sont suffisamment coordonnés pour qu'il puisse monter à poney. Il est indispensable qu'un adulte tienne l'animal par le licol et marche à côté de lui, en l'obligeant à avancer à la vitesse de la marche. Dans les clubs d'équitation, le port de la bombe est obligatoire et le sol est souvent recouvert d'écorces ou de sciure pour amortir les chocs. Expliquez à votre enfant qu'il faut toujours s'approcher lentement et calmement des poneys, et qu'on ne doit jamais rester debout derrière un poney ou un cheval.

810 fabriquer un collier de coquillages

Promenez-vous sur la plage avec votre petit pêcheur, ramassez quelques coquillages et percez-les. Demandez-lui d'enfiler les coquillages sur un ruban, et voilà un collier !

811 collection de pierres

Même si votre enfant est trop jeune pour avoir des notions précises de géologie, faire la collection des pierres est une occupation intéressante. Qu'il se spécialise dans les éclats de mica ou les cailloux de couleur, ou qu'il ramène systématiquement de vacances une pierre particulière, il sera fier de pouvoir exposer sa collection.

812 des jeux pour la voiture

Quand vous voyagez, donnez à votre enfant une liste (accompagnée de petites images) de choses qu'il doit chercher : une vache, un bus, une grange, un lac, un panneau de stop, etc. Demandez-lui de les cocher au fur et à mesure qu'il les voit (si vous faites jouer deux enfants ensemble, chacun coche sa propre liste).

813 culture d'herbe-aux-chats

Rien de plus simple que la culture de l'herbe-aux-chats : quelques graines de cette plante, un pot, du terreau et un rebord de fenêtre ensoleillé suffisent. Quand les graines commencent à germer (au bout de deux semaines environ), votre enfant peut couper quelques feuilles pour les donner au chat.

814 un cadre pour la photo du chien

Pour réaliser un cadre qui accueillera la photo de votre chien (ou d'un autre animal), découpez dans du carton rigide un petit rectangle au centre d'un rectangle plus grand. Aidez votre enfant à recouvrir le cadre de colle spéciale non toxique. Avant qu'elle sèche, faites-lui appliquer des friandises en rapport avec l'animal : biscuits pour chien ou chat, graines pour oiseaux… Il les enduira ensuite d'une autre couche de colle pour les protéger (et éviter que votre animal ne soit tenté).

815 un livre « cousu main »

Pliez cinq feuilles de papier à lettres en deux, insérez-les dans une feuille de papier Canson elle aussi pliée en deux et agrafez le tout le long de la pliure. Vous obtiendrez un joli cahier dans lequel votre enfant sera ravi de dessiner, de s'exercer à tracer des lettres, de jouer au morpion ou d'illustrer une histoire que vous aurez inventée tous les deux.

816 regarder une feuille

Étudiez tous les deux une feuille d'arbre sous une loupe et parlez de sa structure délicate.

817 tracé à main levée

Montrez à votre enfant comment tracer à main levée, au crayon de papier sur une feuille blanche, une ligne sinueuse en faisant des boucles, sans lever le crayon. La ligne doit se terminer là où elle a commencé. Il peut ensuite colorier son dessin.

818 spectacle

La plupart des petits aiment jouer la comédie. Incitez le vôtre à mettre en scène son histoire préférée avec ses frères et sœurs ou ses copains. Donnez-leur de quoi se déguiser et libérez de la place pour leur faire une scène (il n'est pas nécessaire de disposer d'un espace important). Ensuite, asseyez-vous et profitez du spectacle.

819 archéologie dans un bac à sable

Parlez d'archéologie à votre enfant ou empruntez un livre sur le sujet à la bibliothèque. Donnez-lui quelques outils : des cuillères, un tamis, un pinceau, une pince à épiler et une loupe. Cachez dans le sable des éléments de dînette, du mobilier de poupée rappelant la « civilisation », et laissez-le jouer les archéologues en herbe.

820 le calendrier

Accrochez un calendrier du mois au mur, à hauteur de votre enfant. Ainsi, vous pourrez lui expliquer la notion de temps et d'emploi du temps. Faites-lui marquer les jours particuliers – anniversaires, voyages, invitations – au moyen d'autocollants ou de petits dessins.

821 soirée pyjama

Proposez à votre enfant d'inviter un copain ou deux (accompagnés de leurs doudous) à venir passer une soirée pyjama à la maison. Après le dîner, laissez-les jouer un peu, puis, quand chacun est installé dans un sac de couchage, lisez-leur une histoire. Les parents récupèrent ensuite leur progéniture, pour la nuit.

822 un travail en commun

Les petits aiment bien aider. Vous pouvez donc demander à votre enfant de vous seconder dans quelques tâches ménagères simples. Donnez-lui par exemple un petit balai !

823 la boîte à trésors

Donnez à votre enfant une boîte à cigares ou à chaussures, des feutres non toxiques, des autocollants, des rubans et tout ce qui pourra lui servir à décorer ce qui deviendra une boîte à trésors. Il peut même la recouvrir d'un joli tissu.

824 un arbre bien à lui

Grandir en même temps qu'un arbre est quelque chose de merveilleux pour un enfant. Aidez votre enfant à planter un jeune arbre dans votre jardin (ou, à défaut, dans celui d'un parent) et contrôlez régulièrement sa croissance tous les deux. S'il s'agit d'un arbre à feuilles caduques, cela lui permettra aussi de suivre l'évolution des saisons. Une fois par an, prenez une photo de votre enfant près de son arbre pour illustrer leur croissance. Peut-être dira-t-il un jour à ses enfants : « Je me souviens du jour où j'ai planté cet arbre » ?

825 jeu de pétanque

Votre enfant va sûrement adorer la pétanque. Un jeu de boules pour enfants ne coûte pas très cher, et vous pourrez y jouer dans le jardin ou au parc. Apprendre à faire rouler ou à lancer en douceur les boules près du cochonnet est un exercice que toute la famille peut pratiquer ensemble.

826 des bijoux originaux

La motricité fine d'un enfant de quatre ans et sa créativité sont suffisamment développées pour qu'il puisse fabriquer de magnifiques colliers, bracelets ou bagues. Si le vôtre adore créer des bijoux, emmenez-le acheter quelques jolies perles et du fil doré.

827 des horizons musicaux nouveaux

À quatre ans, un enfant commence à avoir des préférences en matière musicale. C'est donc le moment de faire découvrir au vôtre différents styles de musique : musique classique, jazz, funk, rap, world music… Commentez ce que vous avez écouté. Quelle musique lui plaît le plus ?

828 un alphabet en pâte à modeler

Prenez de la pâte à modeler de différentes couleurs et modelez ensemble les lettres de l'alphabet et les chiffres. C'est un moyen très pratique d'apprendre à votre enfant à les reconnaître, tout en stimulant sa créativité.

829 la bibliothèque

Aller à la bibliothèque est toujours un plaisir. Laissez votre enfant fouiner dans les rayonnages, choisir les livres qu'il veut. Profitez-en pour regarder les expositions quand il y en a. Faites-lui faire une carte à son nom pour qu'il puisse emprunter des ouvrages.

830 de la limonade rose

Votre enfant a envie de rose ? Proposez-lui de colorer et de parfumer un broc de limonade en y ajoutant 60 ml de sirop de grenadine. Une fois qu'il a bien mélangé le tout, servez-vous dans des verres remplis de glaçons.

831 une pochette pour les crayons

Découpez une poche arrière d'un jean que vous allez jeter. Avec votre enfant, collez le morceau de tissu sur la couverture d'un carnet de croquis à spirale. Une fois que la colle est sèche, il pourra y ranger ses crayons pour avoir son matériel de dessin sous la main quand il est en déplacement.

834 cornets surprises

Enroulez une grande feuille de couleur autour d'un tube de carton. Fermez l'une des extrémités avec une ficelle ou un ruban. Votre enfant pourra verser dans le tube des petits bonbons et des jouets miniatures sans danger pour les enfants. Laissez-le fermer l'autre extrémité puis décorer le tube avec des paillettes ou des autocollants. Ces cornets seront des petits cadeaux qu'apprécieront beaucoup les enfants.

4+
ans

832 paniers

Le basket-ball est un bon moyen pour votre enfant d'améliorer sa motricité globale. Il doit courir, dribbler, passer le ballon et marquer des paniers. Pour que votre future star du basket puisse s'entraîner, installez-lui un panier dans votre jardin.

833 faire pousser des graines

Il est plus facile de planter des semis que d'attendre que ces petites graines germent ! Mais avec un peu de patience, votre enfant aimera s'occuper de ces jeunes pousses.

835 comme les Américains

Laissez votre enfant se faire griller un marshmallow sur le barbecue. Une grande fourchette ou une longue pique lui permettra de garder une distance de sécurité, mais surveillez-le tout de même. Aidez-le ensuite à glisser le marshmallow entre deux petites tranches de pain croustillant avec un carré de chocolat.

836 jouer aux billes

Les enfants adorent les billes ; ils aiment les compter, les trier, ou juste les regarder rouler.

837 où sont les poissons ?

Les enfants de quatre ans adorent découvrir la nature. Quand vous êtes au bord d'un étang ou d'une crique, aidez votre enfant à repérer les rides qui se forment à la surface de l'eau lorsque les poissons remontent pour gober des insectes. Avec des verres solaires polarisés, vous aurez plus de chances d'apercevoir les poissons dans l'eau.

838 pense-bêtes

Les photos sont un excellent moyen de suggérer à votre enfant d'accomplir diverses tâches quotidiennes — par exemple, une photo de lui en train de nourrir le chien ou une autre quand il se brosse les dents.

839 galerie d'animaux

Cherchez un ouvrage sur les animaux que l'on trouve dans votre région. Partez en promenade pour essayer d'apercevoir quelques spécimens. Dressez la liste de tous ceux que votre enfant voit et demandez-lui de les dessiner à côté de leur nom.

840 des créatures hybrides

Avec votre enfant, découpez des morceaux d'animaux (visages, pattes…) dans des revues. Donnez-lui ensuite de la colle et du papier et demandez-lui de créer des animaux hybrides avec les différents morceaux.

841 un téléphone artisanal

Prenez des gobelets en carton et de la ficelle et fabriquez ensemble un téléphone. Percez un trou dans le fond des deux gobelets et reliez-les par une longue ficelle fine que vous maintiendrez en place par un gros nœud. Parlez et écoutez chacun votre tour. Si le fil est bien tendu, vous verrez que votre « téléphone » amplifie réellement le son.

842 les empreintes de fées

À la plage, montrez à votre enfant comment dessiner des empreintes de pieds ou de mains dans le sable. Vous pouvez même « imprimer » une série de pas sur la plage et organiser une partie de cache-cache autour de ces traces.

843 l'éventail

Fabriquer un éventail est une activité idéale quand il fait très chaud. Proposez à votre enfant de décorer un morceau de papier Canson à l'aide de feutres (il peut créer des motifs abstraits ou dessiner des pingouins ou des cristaux de neige). Montrez-lui ensuite comment plier le papier en accordéon et se servir de son éventail pour se rafraîchir.

844 gentilles bêtes

Apprenez à votre enfant à découvrir les animaux sans prendre de risque et sans agresser l'animal. Montrez-lui l'exemple tout en lui expliquant, par exemple, que le chat de la voisine est parfois grincheux ou que le chien de la boulangère adore qu'on lui gratte le dessus de la tête. Veillez bien à ce qu'il laisse les animaux s'approcher et non l'inverse, et demandez toujours au propriétaire s'il peut caresser leur animal.

845 un élan de papier

Prenez du papier épais marron et dessinez les contours des pieds (chaussés) et des mains (doigts écartés pour représenter les bois) de votre enfant. Demandez-lui de découper les formes et de les coller sur une feuille blanche. Pour personnaliser son élan, il peut lui colorier une grosse truffe noire et des yeux rigolos.

846 plaisirs aquatiques

Jouer dans l'eau ou avec de l'eau est toujours un plaisir. Si votre enfant apprend à nager, passez une heure ou deux à la piscine avec lui et faites en sorte qu'il utilise ses nouvelles compétences, par exemple en allant chercher des objets flottants ou en vous poursuivant d'un côté du petit bassin à l'autre. Vous pouvez aussi rester à la maison ; la baignoire est un magnifique « laboratoire » pour les expériences.

4+
ans

847 des lunettes customisées

Pour que votre enfant ait plaisir à mettre ses lunettes de soleil, demandez-lui de les personnaliser à l'aide de petits autocollants ou de petites perles et breloques collées. Choisissez des lunettes de soleil assurant une protection totale contre les UV.

848 écologiste en herbe

Votre enfant n'est pas trop jeune pour que vous lui parliez d'environnement et des gestes qu'il peut faire pour essayer de le protéger. Incitez-le à rendre votre maison plus « écologique ». Avec lui, éteignez les lumières, baissez le thermostat et mettez des pulls quand vous avez froid, ne laissez pas couler l'eau quand vous vous brossez les dents.

849 les empreintes digitales

Faites découvrir les empreintes digitales à votre enfant. Aidez-le à appuyer le bout du doigt contre du verre transparent. Versez ensuite un peu de talc sur l'endroit qu'il a touché et soufflez légèrement. Prélevez l'empreinte en collant un morceau de scotch par-dessus et en le retirant tout doucement. Avec une loupe, il pourra comparer les volutes qui sont sur le scotch et celles de son doigt…

850 un cœur pour les autres

Emmenez votre enfant faire les courses et laissez-le choisir un petit jouet qu'il pourra donner à une association caritative, par exemple au moment de Noël. De temps en temps, demandez-lui s'il n'a pas une poupée, un jeu ou une peluche qu'il aimerait offrir à un enfant. Les associations caritatives, les services pédiatriques ou les pouponnières acceptent volontiers ce genre de don (à condition que les objets soient en bon état).

851 graines d'artiste

Au printemps et en été, ramassez des graines dans la nature : samares d'érable, aigrettes de pissenlit ou d'herbe aux perruches, graines de coton et tout ce que vous trouverez près de chez vous. Votre enfant peut aussi choisir des graines en sachet dans une jardinerie. Donnez-lui du papier épais, de la peinture et de la colle non toxiques et laissez-le créer une œuvre d'art en relief avec ses graines.

852 apprendre à verser

Incitez votre enfant à faire preuve de plus d'autonomie. Il aura ainsi la satisfaction de faire quelque chose tout seul. Il peut, par exemple, se servir d'une petite carafe pour verser du lait dans son verre.

 Invitez ses nounours à un pique-nique et laissez votre enfant s'exercer à leur servir le « café » dans les tasses de sa dînette.

4+ ans

853 fresques préhistoriques

Lisez à votre enfant quelques livres sur la préhistoire, puis donnez-lui un grand carton à transformer en caverne, sur les « parois » de laquelle il pourra laisser exprimer librement son imagination. Avec quelques craies, il réinventera peut-être, à sa manière, la grotte de Lascaux.

854 jeu de raquette

Un enfant de quatre ans est capable d'apprendre à jouer au tennis avec une raquette légère et une balle en mousse. Lancez-lui la balle tout doucement pour qu'il puisse la rattraper et vous la renvoyer en essayant de viser dans votre direction.

855 un tee-shirt décoré au pochoir

Demandez à votre enfant de découper une forme géométrique ou une silhouette d'animal dans du papier épais. Fixez-la sur le devant d'un tee-shirt de couleur claire avec du scotch double face. Donnez-lui une blouse, puis demandez-lui de tremper un gros pinceau dans de la peinture pour tissu. Montrez-lui comment secouer légèrement le pinceau au-dessus du tee-shirt pour que la peinture retombe en pluie fine autour de la forme.

856 ribambelles

Aidez votre enfant à plier des serviettes en papier colorées en accordéon, ou bien en quatre ou en huit. Montrez-lui comment découper des formes dans les coins. Puis dépliez le papier et accrochez vos ribambelles sur une ficelle.

4+
ans

857 s'entraîner à taper dans un ballon

Ça a peut-être l'air facile, mais taper dans un ballon représente un miracle de précision, de coordination entre l'œil et le pied, d'équilibre et de contrôle musculaire. Envoyez doucement le ballon vers votre enfant et demandez-lui de vous le renvoyer, avec le pied. Avec un peu de pratique, sa dextérité et son adresse vont s'améliorer rapidement.

858 attacher ses lacets

Encouragez votre petit bout à essayer d'attacher ses lacets. La dextérité et le contrôle nécessaires s'acquièrent d'autant plus rapidement qu'il n'y a aucune précipitation ; laissez-le prendre son temps !

859 l'exposition de travaux manuels

Réservez une journée entière et demandez à votre enfant d'inviter quelques copains à faire des activités manuelles : création de colliers, montage de cadres photos, peinture... Quand ils ont fini, installez une table dehors et exposez leurs œuvres. Qui sait, peut-être les voisins auront-ils envie d'en acheter quelques-unes ?

860 le doudou

Même si votre enfant est désormais plus indépendant, quand il n'est pas chez lui, il appréciera toujours de pouvoir se rassurer avec un objet qu'il associe à sa maison. Laissez-le emporter son doudou chaque fois qu'il en a envie, mais suggérez-lui aussi de le prêter à son petit frère ou à sa sœur.

861 les tours de nombres

Aidez votre enfant à découper dix « tours » (bandes rectangulaires) dans du papier de couleur. Faites-les- lui numéroter en commençant par la plus basse et en finissant par la plus haute. Idem pour les suivantes, avec les nombres de 11 à 20. Continuez ainsi de dix en dix. Disposez les tours côte à côte pour aider votre enfant à compter par dizaines. Accrochez-les au mur et compter deviendra un jeu d'enfant !

862 pour appeler à la maison

Demandez à votre enfant de retenir le numéro de téléphone de la maison et faites-le-lui composer plusieurs fois sur votre propre téléphone ou sur votre portable. Faites-lui également retenir le numéro à appeler en cas d'urgence (112 ou 15).

863 boules de pain

Achetez ou préparez une pâte à pain et faites fondre le beurre. Demandez à votre enfant de découper de petits morceaux de pâte, de les rouler pour obtenir des boules de la taille d'une noix et de les tremper dans un saladier contenant le beurre fondu que vous aurez laissé refroidir. Ensuite, demandez-lui de déposer les boules dans un moule à brioche, en les superposant jusqu'à mi-hauteur. Faites cuire le temps nécessaire (consultez une recette de pain). Une fois que le pain est froid, démoulez-le et demandez à votre enfant de séparer les boules les unes des autres. Pour que la recette soit encore meilleure, l'enfant pourra rouler les boules dans de la cannelle en poudre et du sucre avant de les mettre dans le moule.

864 vœux polyglottes

Apprenez à votre enfant à dire « Bon anniversaire » dans plusieurs langues.

Arabe : *Eid milaad saeed* [aid mila-ad sa-yid]

Anglais : *Happy birthday* [api beursse dai]

Japonais : *Otanjou-bi omedetout gozaimasu* [o-tane-jobi o-mé-dé-to go-za-i-mass]

Espagnol : *Feliz cumpleanos* [félize coume-plé-agno]

865 petits cœurs

Montrez à votre enfant comment obtenir des cœurs bien symétriques à l'aide d'une feuille pliée en deux. Dans un premier temps, tracez la ligne en forme de larme qu'il devra suivre pour découper le papier, puis laissez-le se débrouiller tout seul. En peu de temps, il saura se fabriquer des dizaines de petits cœurs à coller sur ses œuvres.

866 les règles du jeu

Si vous avez un chien, il est important de veiller à ce qu'il ait le même comportement vis-à-vis de votre enfant que vis-à-vis des autres membres de la famille. Pour le dresser tout en s'amusant, parcourez avec votre enfant les pièces de la maison et prévoyez une friandise pour chaque pièce. Appelez-le chacun votre tour et récompensez-le avec une friandise lorsqu'il obéit.

867 le jeu d'échecs

À quatre ans, on peut commencer à apprendre à jouer aux échecs. Ce jeu est merveilleux car il permet à différentes générations de jouer ensemble. Il existe des échiquiers de voyage que vous pouvez emporter avec vous.

868 la mer en bouteille

Remplissez une bouteille en verre d'eau teintée en bleu jusqu'à mi-hauteur. Ajoutez un petit bateau ou un poisson en plastique, puis de l'huile pour bébé. Scellez le bouchon en appliquant de la colle au Néoprène (cette étape doit être réalisée par un adulte) avant de le visser. Une fois que la colle est sèche, couchez la bouteille et laissez votre enfant faire des vagues en la secouant doucement.

869 entraînement aux situations d'urgence

Pour apprendre à votre enfant à gérer les situations d'urgence, jouer à « Et si… » « Et si tu sens de la fumée ou que tu vois des flammes ? » (Il doit prévenir un adulte ou composer le 15 ou le 112.) « Et si ton ballon atterrit sur la route ? » (Il doit demander à un adulte de le lui ramasser).

870 calcul mental

Pour faire des mathématiques, pas besoin de matériel. Pour apprendre les fractions à votre enfant, montrez-lui la différence entre un verre à moitié plein et un verre plein, entre une pizza entière et une pizza coupée en huit, ou expliquez-lui que, s'il partage quatre biscuits avec un copain, chacun en aura deux.

871 les jeux Olympiques à la maison

Invitez plusieurs copains de votre enfant et proposez-leur un circuit d'activités sportives. Commencez, par exemple, par un parcours composé de cerceaux posés à plat dans l'herbe et dans lesquels il faut sauter, puis faites-les sauter par-dessus un tuyau d'arrosage tendu en travers du jardin, et poursuivez avec un lancer de sacs de haricots et d'éponges mouillées. Les idées ne manquent pas pour amuser les enfants !

872 l'écriture à la torche

Allongez-vous avec votre enfant sur le dos dans le noir. Faites-lui « écrire » des lettres ou tracer des formes simples sur le plafond à l'aide d'une petite torche. Essayez de deviner ce qu'il écrit. Échangez ensuite les rôles : écrivez et faites-lui deviner ce que vous avez écrit.

873 des bulles qui parlent

Cherchez dans des magazines des photos de personnes. Aidez votre enfant à coller des bulles (comme sur les BD) pour les faire parler. Commentez ensemble les scènes et demandez-lui de vous dicter les dialogues.

Proposez à votre enfant d'inventer un dialogue et d'imaginer ce qu'une autre personne pourrait ressentir, pour développer ses facultés d'empathie.

874 course de pailles

Tracez un parcours à la craie sur le trottoir (ou ailleurs) et montrez à votre enfant comment faire avancer un petit morceau de papier ou d'aluminium froissé en soufflant dessus à travers une paille. Il peut faire la course avec vous ou avec un copain.

875 pas de surprise

Prévenez gentiment votre enfant lorsqu'il va devoir cesser une activité amusante, par exemple lorsqu'il joue avec un copain. Avertissez-le (« On part dans un quart d'heure »), demandez-lui de se préparer (« Cherche tes chaussures, nous partons dans cinq minutes ») et félicitez-le s'il ne traîne pas ou ne fait pas de « colère » pour partir.

876 l'épouvantail à moineaux

Si vous avez des CD rayés ou que vous n'écoutez plus, aidez votre enfant à les accrocher aux branches des arbres ou aux tuteurs de votre potager. Les CD tournent au gré du vent et scintillent au soleil, ce qui effraie les oiseaux et les empêche de venir manger vos fruits et légumes.

877 jolies lucioles

Si vous habitez dans une région où vous avez la chance de voir des lucioles l'été, aidez votre enfant à en capturer quelques-unes. Elles diffusent une jolie lumière et présentent l'avantage de voler lentement et de ne pas piquer, ce qui est idéal pour une leçon de sciences naturelles. Enfermez-les temporairement dans un bocal en verre (percez de petits trous dans le couvercle pour qu'elles aient de l'air). Laissez votre enfant observer ces lanternes vivantes, puis relâchez-les pour qu'elles puissent continuer à vivre.

4+ ans

878 poésie

Lisez une poésie à votre enfant. Victor Hugo, Jacques Prévert, Robert Desnos, Arthur Rimbaud, Claude Roy, Paul Fort et bien d'autres ont écrit des textes qu'un enfant de quatre ans est parfaitement en mesure d'apprécier.

879 escalade

Cherchez un terrain de jeux avec des équipements à escalader : échelle horizontale, filet ou petit mur d'escalade... Surveillez votre enfant quand il monte et descend. Toutes ses activités contribuent à développer sa motricité globale.

880 faire des roulades

Trouvez un endroit où le sol est suffisamment doux et aidez votre enfant à rentrer la tête et à rouler sur lui-même. C'est amusant de faire des roulades !

881 un presse-papiers très personnel

Demandez à votre enfant de découper dans un magazine une photo qui lui plaît et de la fixer sur une pierre lisse avec de la colle non toxique. Pour éviter qu'elle ne jaunisse, diluez de la colle dans un peu d'eau et faites-lui étaler ce mélange sur la photo avec un petit pinceau.

882 visite d'une caserne de pompiers

Organisez une promenade à la caserne de pompiers de votre ville avec votre enfant et éventuellement quelques-uns de ses copains. Quand vous arriverez, vous verrez peut-être des camions de pompiers se préparer à partir, passer au lavage ou à la vidange, et peut-être aurez-vous la chance de bavarder avec les pompiers !

883 un peu de mémoire

Lorsque vous lisez à votre enfant son livre préféré, faites une pause et demandez-lui ce qui à son avis va se passer. Ou bien arrêtez-vous avant la fin de chaque phrase et laissez-le terminer. Il adorera vous montrer qu'il a une bonne mémoire !

884 le jeu des plaques minéralogiques

Quand vous êtes en voiture, demandez à votre enfant d'imaginer une phrase rigolote avec les lettres de la plaque minéralogique de la voiture qui vous précède. Avec les lettres CAO, par exemple, on peut inventer une phrase comme : « Les Chats Aiment l'Opéra. »

885 une tirelire artisanale

Découpez une fente dans le haut d'une boîte en carton cylindrique ayant contenu des chips pour l'apéritif. Aidez votre enfant à recouvrir l'extérieur avec du papier d'emballage ou du papier Canson. Maintenez le papier en place pendant qu'il le scotche tout autour de la boîte (ou l'inverse, si c'est plus facile pour lui). Maintenant qu'il possède une magnifique tirelire, expliquez-lui à quoi sert l'argent et incitez-le à épargner. Il peut éventuellement gagner quelques pièces en vous aidant à faire un peu de ménage ou de jardinage.

4+
ans

886 troc de livres

Organisez un troc de livres avec un petit groupe de parents et d'enfants. Demandez à chaque participant d'apporter plusieurs livres qu'il a déjà lus (et qu'il est d'accord pour offrir). Chacun repart avec un ou plusieurs livres choisis. Prévoyez un petit goûter et éventuellement un moment de lecture sur place. Ce système est un bon moyen de renouveler sa bibliothèque à moindres frais.

887 « je borde bien...

… j'adore refaire mon lit tout seul le matin. Tu vois ? Il n'y a aucun pli ! »

888 une poupée très spéciale

Découpez la tête de votre enfant sur une photo (le visage doit être le plus grand possible). Dessinez une silhouette sur du carton rigide et aidez-le à coller la photo à l'emplacement du visage. Tracez les contours de la silhouette sur du papier plus fin et découpez-la en plusieurs exemplaires. Demandez-lui de les colorier pour en faire des vêtements. Appliquez de la colle pour montages successifs afin de pouvoir mettre et retirer les vêtements sur la silhouette. Si vous avez une photo de votre enfant avec ses frères et sœurs ou ses copains, rien ne vous empêche de réaliser d'autres poupées pour tenir compagnie à la première.

889 plagiat

Lisez plusieurs aventures d'un personnage connu des petits, par exemple l'éléphant Elmer, de David McKee (*Elmer et le nounours perdu*, *Elmer et papi Eldo*…). Demandez à votre enfant de bien observer les illustrations et d'essayer ensuite de créer ses propres personnages à l'image d'Elmer en juxtaposant des carrés de papier coloré.

890 un coin pour travailler

Réservez à votre enfant un endroit dans la maison où il pourra dessiner, écrire et rêver à sa guise. En lui laissant un espace à lui, vous lui montrez que vous accordez de l'importance à ses activités et lui donnez un sentiment d'indépendance. Incitez-le à personnaliser son coin de travail en décorant, par exemple, des pots en verre pour en faire des pots à crayons.

4+ ans

5+ À partir de cinq ans

Points de repère

Quelles que soient les activités préférées de votre enfant, c'est en jouant qu'il apprendra le mieux.

- À cinq ans, il élargit sa palette de jeux en résolvant des problèmes et des énigmes.

- Il aura un appétit vorace d'expériences et d'aventures nouvelles.

- Ses capacités cérébrales se développent, ce qui signifie que sa mémoire et ses facultés de coordination s'améliorent également.

À cinq ans, un enfant commence à faire d'énormes progrès en lecture et en écriture, sa coordination s'améliore et sa faculté de concentration est bien meilleure qu'avant. En un mot, l'enfant de cet âge est plus habile pour tout. Son cercle social s'élargit : il a de plus en plus de copains, notamment des camarades de classe. Il noue des liens plus étroits avec ses frères et sœurs, ses grands-parents et ses cousins. Il prend aussi conscience du monde qui l'entoure et il le montre, en s'intéressant par exemple aux animaux et à l'environnement. Mais même si ses horizons s'élargissent, aux yeux de votre enfant, la personne qui compte le plus, c'est toujours vous.

891 pâte à tartiner maison

Avec votre enfant, mélangez 1 kg de noisettes, 1 l de jus de pomme naturel et 500 g de sucre dans votre mixeur, jusqu'à obtention d'une pâte lisse. Puis donnez-lui un couteau à beurre pour qu'il puisse étaler ce confit de noisettes sur des crackers ou du pain.

892 le jeu du « slap jack »

Répartissez toutes les cartes d'un jeu entre vous et votre enfant, mais ne les regardez pas. Chacun votre tour, prenez une pile sur votre tas et retournez-la sur la table de manière à former un troisième tas. Si la première carte est un valet (jack), il faut arriver à poser la main dessus le plus rapidement possible. Celui qui y parvient récupère alors le valet et les cartes qui sont dessous. Le gagnant est le joueur qui a réussi à récupérer toutes les cartes du jeu.

893 saut à la corde

Avant de démarrer, la corde doit reposer par terre derrière votre enfant. Il doit ensuite la lancer par-dessus sa tête jusque devant lui, puis sauter par-dessus au moment où elle touche terre. Avec de l'entraînement, votre enfant arrivera très vite à sauter tout seul.

894 la gazette familiale

Demandez à votre enfant de vous dicter quelques histoires qui se sont passées dans la famille. Vous pouvez les taper à l'ordinateur ou les écrire de votre plus belle écriture sur une feuille. Ajoutez le nom du « journal » et les titres, puis demandez-lui de faire quelques dessins (ou de vous aider à chercher des photos) pour illustrer les articles de cette gazette familiale.

895 collages inédits

Pour faire des collages, il faut un morceau de papier rigide pour le support, des ciseaux, de la colle et, bien évidemment, de l'imagination. Votre enfant peut se servir de chutes de papier d'emballage, de rubans, de boutons, d'autocollants, de photos découpées dans des magazines. Il peut aussi utiliser les ressources de la nature : écorces, graines, feuilles, herbe et fleurs séchées. S'il a besoin de quelques pistes, suggérez-lui un collage avec des photos de choses qu'il aime manger, ou un thème saisonnier comme les fleurs de printemps ou les feuilles d'automne.

896 tee-shirt collector

Donnez à votre enfant un tee-shirt blanc et un feutre textile, puis demandez-lui de récolter les signatures de ses copains pour marquer un événement particulier.

897 un cahier bien à lui

À l'aide d'une perforatrice, percez des trous dans une dizaine de feuilles de papier à dessin blanc. Découpez deux morceaux de carton de la même taille, perforez-les aussi. Demandez à votre enfant de faire un dessin sur une feuille qu'il collera sur le carton destiné à la première de couverture. Proposez-lui ensuite passer de jolis rubans (ou du raphia) dans chaque trou et nouez-les pour maintenir le tout.

898 un collier en feutrine

Montrez à votre enfant comment fabriquer un collier en feutrine. Faites-lui découper de petits carrés (ou des triangles, ou toute autre forme) dans le tissu. Il doit ensuite les enfiler sur un fil solide. Donnez-lui pour cela une grosse aiguille à bout rond.

899 des feuilles pour l'album photos

Lors d'une promenade, suggérez à votre enfant de ramasser des feuilles qui lui plaisent. Il peut les aplatir et les placer dans un album de scrapbooking. Servez-vous d'un guide pour identifier les arbres dont elles proviennent. Pour illustrer les changements de saison, repartez en chasse à un autre moment de l'année.

900 cristaux de neige

Pour découper des cristaux de neige, il suffit de plier le papier en deux ou en quatre et de découper des formes rappelant les branches des cristaux de neige sur les quatre côtés. Dépliez ensuite la feuille. Si votre enfant veut faire briller ses cristaux, il peut les enduire de colle et verser dessus des paillettes argentées.

901 le peigne-mirliton

Donnez à votre enfant un peigne neuf à dents fines et un morceau de papier fin mais résistant (du papier huilé de préférence). Après avoir enveloppé les dents du peigne dans le papier, votre enfant n'aura plus qu'à appuyer doucement ses lèvres contre celui-ci en vocalisant bouche fermée. Le bruit produit sera certainement épouvantable !

902 consignes de sécurité

Discutez en famille des diverses consignes à suivre en cas de danger et décidez, par exemple, de l'endroit où se retrouver au cas où tout le monde devrait quitter la maison rapidement. Demandez à votre enfant de prendre des photos du trajet avec un appareil jetable et collez-les sur une feuille de papier.

Un enfant de cinq ans peut commencer à manipuler un appareil photo d'adulte – sous surveillance, bien sûr.

903 les silhouettes

Collez une feuille de papier blanc au mur, plongez la pièce dans l'obscurité et faites asseoir votre enfant sur une chaise à environ 60 cm de la feuille. Allumez une lampe puissante – par exemple, une lampe de bureau – à côté de sa tête (faites-lui fermer les yeux si la lumière le gêne). Dessinez les contours de son ombre sur le papier blanc, découpez cette silhouette et posez-la sur une feuille de papier Canson noir. Tracez ses contours à la craie blanche et demandez-lui de colorier l'intérieur avec des pastels de couleur. Ce sera son premier autoportrait !

904 l'alphabet illustré

Feuilletez ensemble des magazines pour trouver des photos qui illustreront les lettres de l'alphabet : un arbre pour le a, un ballon pour le b, etc. Si vous voulez réaliser des cartes pour faire un jeu, demandez à votre enfant de découper les photos, puis de les coller sur un morceau de carton et d'inscrire la lettre au dos.

905 une marionnette éphémère

Montrez à votre enfant comment transformer sa main en marionnette en se servant du bout de ses doigts pour les pattes et du majeur pour la tête et le cou. Dessinez un visage sur le majeur avec un feutre lavable non toxique et demandez-lui de faire « marcher » sa créature sur la table à l'aide de ses pattes. Tout bruitage – grognement, aboiement… – est le bienvenu.

906 devinette

Votre enfant dispose maintenant d'un vocabulaire et de compétences linguistiques plus étendus. Les devinettes sont une forme d'humour qu'il apprécie particulièrement.

« Qu'est-ce qui est vert et qui monte et descend ? »

Réponse : « Un petit pois dans un ascenseur ! »

 Empruntez un livre de devinettes pour enfants à la bibliothèque et encouragez le vôtre à en tester quelques-unes sur vous.

907 au-delà des livres

Les médiathèques ne proposent pas que des livres. Elles offrent également un grand choix de films, de disques, de magazines. Renseignez-vous pour savoir si celles de votre ville organisent des projections gratuites, des rencontres avec les auteurs ou des heures de lecture.

908 des informations vitales

À cinq ans, un enfant devrait connaître son adresse, son numéro de téléphone et le nom de famille de ses parents. En les répétant souvent, il va finir par les retenir. Inventez une chanson avec ces informations ou chantez-les sur un air qu'il connaît !

909 la bonne action

Les enfants aiment bien faire plaisir aux autres. Suggérez au vôtre quelques actions utiles : monter le journal du voisin jusqu'à sa porte, vérifier que le chien a suffisamment à boire mêmes s'il ne fait pas chaud, partager une friandise avec un copain ou avec son petit frère… Félicitez-le d'avoir été gentil, mais sans excès (un sourire ou un geste suffisent parfois), l'objectif étant qu'il fasse une bonne action sans rien en attendre en retour. Demander : « Est-ce que je peux t'aider ? » devrait être aussi naturel que de dire : « S'il te plaît » ou : « Merci. »

910 on recycle

Il est facile de trier pour recycler, et il n'est jamais trop tôt pour apprendre à votre petit bout qu'il est important de faire attention à notre planète. Il sera fier de faire quelque chose d'aussi utile pour tous.

911 écrire dans de la mousse à raser

Étalez une grande quantité de mousse à raser sur du papier cuisson. Demandez à votre enfant de bien la lisser et d'y tracer une lettre ou un nombre. Essayez de deviner en posant des questions : « C'est un s ? ou un 5 ? » Pour une fois, ce sera lui le professeur !

912 à la manière de Michel-Ange

Regardez ensemble des photos des fresques de la chapelle Sixtine. Expliquez à votre enfant que Michel-Ange a peint le plafond allongé sur le dos sur un immense échafaudage. Proposez lui ensuite d'en faire autant – mais allongé par terre, bien sûr. Collez du papier à dessin sur le dessous de la table et demandez-lui d'enfiler un vêtement usé. Il peut aussi mettre un masque de ski ou de plongée pour éviter de recevoir de la peinture dans les yeux. À lui d'imaginer sa fresque !

5+
ans

913 le tableau magnétique

Le tableau magnétique peut être un bon moyen d'aider votre enfant à s'organiser – et à s'exprimer. Accrochez-le à sa hauteur. Montrez-lui comment y fixer ses dessins, les invitations qu'il reçoit ou ses photos préférées à l'aide d'aimants. Grâce à ce tableau, il n'oubliera pas les événements importants et aura toujours sous les yeux des souvenirs de vacances ou de jolies photos.

914 un, deux, trois, soleil !

Ce jeu est un grand classique. Le meneur se place tout seul à un bout du jardin (ou de la pièce), et les autres enfants s'alignent à l'autre bout. Le meneur leur tourne le dos et crie : « Un, deux, trois… » Pendant ce temps, les autres enfants courent vers lui, mais doivent s'arrêter dès que le meneur annonce : « Soleil ! » et se retourne. Ceux qu'il voit encore bouger à ce moment-là doivent retourner au point de départ. Le jeu continue jusqu'à ce que l'un des enfants réussisse à atteindre le meneur.

915 le tricotin

Si vous êtes nostalgique de ce petit instrument en bois qui permet de « tricoter » des kilomètres de cordelette en laine, faites-le découvrir à votre enfant. Avec cette cordelette, toutes sortes de créations faciles (napperons, maniques…) sont possibles.

916 visite au planétarium

Admirer le ciel par une chaude nuit étoilée fait partie des grandes joies de l'existence. Mais il est parfois préférable d'observer les étoiles et les planètes bien au chaud, à l'intérieur. Si vous avez un planétarium près de chez vous, n'hésitez pas !

917 tableau noir

Peignez l'une des portes de votre maison avec de la peinture spéciale pour tableaux (noire ou verte) et prévoyez une boîte de craies. Ce sera un très bon support d'échanges et de créativité !

918 tout sur les insectes

Consultez ensemble des livres sur les insectes pour apprendre à mieux les connaître. Plus votre enfant en saura sur les petites bêtes, moins il les craindra.

Nourrissez les passions de votre enfant (les dinosaures, les oiseaux, les voitures…) en en parlant au bibliothécaire.

919 pop-corn

Avec le pop-corn, tous les sens sont en éveil :
il y a le bruit, l'odeur délicieuse, le goût savoureux,
et, pour ne rien gâter, le plaisir est immédiat.
Pour le réussir facilement, préparez-le au four
à micro-ondes et écoutez ensemble le crépitement
du maïs lorsque celui-ci éclate.

920 les sushis sucrés

Préparez ensemble des « sushis » sucrés. À la place
du riz collant, utilisez des céréales au riz soufflé
et des marshmallows. Mettez un petit nounours
en gélatine au milieu et aspergez de spray
alimentaire vert pour rappeler les algues.
Puis essayez de les manger
avec des baguettes.
Cette expérience
donnera peut-être
envie à votre enfant
de goûter de vrais
sushis.

921 concert en famille

De nombreux concerts – de musique symphonique
ou autre, en salle ou en plein air – sont donnés
gratuitement. Allez-y en famille et essayez
de profiter de l'occasion pour bavarder
avec les musiciens ou observer leurs instruments
de plus près.

922 à la japonaise

Faites des recherches – à la bibliothèque
ou sur Internet – sur les fêtes japonaises.
Demandez à votre enfant d'en choisir
une et fêtez-la. Au Japon, le jour
de la fête des Enfants, par exemple,
les familles arborent des banderoles
en forme de poissons. Une autre fête
intéressera peut-être votre enfant :
le Festival du lancer de haricots.
Les gens se lancent des haricots
pour se porter chance !

923 jouer au houla hop

Le houla hop est un jeu d'enfant traditionnel. C'est
difficile au début, mais plus votre enfant s'exercera,
plus il arrivera à empêcher le cerceau de tomber.

924 nouvelle identité

Prenez une assiette en carton ordinaire (pas trop
épaisse), idéale pour faire un masque d'enfant.
Percez un trou de chaque côté de l'assiette
et enfilez un élastique. Nouez les deux extrémités
et faites essayer le masque à votre enfant
pour prévoir l'emplacement des yeux.
Laissez-le libre de choisir des accessoires
et d'imaginer comment se transformer en loup,
en extraterrestre, en clown…

5+
ans

925 naissance d'un papillon

Recherchez ensemble une chenille et placez-la dans un bocal fermé avec un filet. Demandez à votre enfant de la nourrir avec des morceaux de la plante sur laquelle vous l'avez trouvée, jusqu'à ce qu'elle se transforme en chrysalide entourée d'un cocon. Quand celle-ci devient un papillon, relâchez-le !

926 jouer à la marchande

Jouer à la marchande est presque aussi amusant que d'aller vraiment dans le magasin. Et c'est un bon moyen aussi de se familiariser avec le calcul.

927 le jeu du portrait

Proposez à votre enfant un jeu de devinettes un peu particulier. Il doit trouver le nom de quelqu'un, d'un animal ou d'un objet, mais vous ne pouvez répondre que par oui ou par non à ses questions.

Exemple :
« - Est-ce un être humain ?
- Oui.
- Est-ce quelqu'un de la famille ?
- Oui.
- Est-ce qu'il est très grand ?
- Oui.
- Est-ce que c'est oncle Olivier ?
- Oui ! »

928 un bloc-notes personnalisé

Demandez à votre enfant de dessiner plusieurs frises et de choisir celle qu'il préfère. Portez-la dans une boutique de photocopies et faites-la reproduire sur des blocs-notes que votre enfant pourra utiliser avec plaisir.

929 un labyrinthe pour chat

Cette réalisation vous amusera tous les deux – et elle amusera aussi votre chat. Coupez le fond de plusieurs sacs en papier et fixez-les bout à bout à l'aide de ruban adhésif de manière à former un labyrinthe pour chat (essayez de faire au moins un « embranchement » à votre tunnel).
Faites rouler une petite balle à l'intérieur pour inciter votre chat à y entrer.

930 un vrai vélo

Si votre enfant est assez grand et assez adroit, il est grand temps qu'il troque son tricycle contre un vélo à deux roues. Il doit pouvoir garder le pied à plat par terre quand il l'enfourche. Quand il est assis sur la selle, la pointe de ses pieds doit toucher le sol. Pour un enfant de cinq ans, on choisit en général un vélo de 12 à 14 pouces. Au départ, des roulettes sont nécessaires pour lui permettre de garder l'équilibre. N'oubliez pas d'acheter un casque en même temps que le vélo.

931 fou de grenouilles

D'après les scientifiques, la santé et la diversité des espèces de grenouilles reflètent l'état de notre planète. Et puisque les enfants adorent les grenouilles, tous les moyens sont bons pour les observer. Si une exposition est organisée près de chez vous – dans un zoo, un Muséum d'histoire naturelle ou un musée des Sciences –, courez-y. S'il n'y en a pas, contentez-vous de l'étang le plus proche pour observer les grenouilles dans leur milieu naturel.

932 lecture à la belle étoile

Par une chaude soirée d'été, étonnez votre enfant en vous installant dehors pour lui lire son histoire avant qu'il aille au lit, à la lueur d'une lampe torche.

933 sous l'œil du microscope

Libérez le scientifique qui sommeille en votre enfant. Installez-le dans son laboratoire avec un microscope et quelques produits – sel de table ou bien sucre cristallisé, par exemple. Nul doute qu'il sera émerveillé par ce qu'il voit.

934 entraînement de football

Sortez de chez vous et entraînez-vous ensemble à manipuler un ballon avec le pied. Commencez par vous échauffer en faisant avancer puis reculer un ballon de football. Exercez-vous ensuite à vous passer le ballon en courant, toujours avec le pied. Une fois que votre enfant maîtrise bien ces gestes, montrez-lui comment marquer des buts en visant, par exemple, entre deux arbres ou deux bancs du parc.

935 ouh, la gadoue !

Mélangez une mesure d'eau et une mesure d'amidon de maïs. Ajoutez quelques gouttes de colorant (brun de préférence) et laissez-le touiller jusqu'à ce que le mélange soit bien lisse… et bien gadouilleux !

936 le calcul en s'amusant

Sans avoir l'air de lui faire une leçon, incitez votre enfant à s'investir dans des activités de mesure. Montrez-lui, par exemple, comment utiliser un mètre et laissez-le mesurer tout ce qu'il voit. Demandez-lui de vous aider à peser le chat : mettez-lui celui-ci dans les bras et pesez-les tous les deux en même temps ; ensuite, pesez votre enfant tout seul et expliquez-lui comment vous soustrayez le poids obtenu du premier pour connaître celui du chat.

937 saut de cerceaux

Achetez quelques cerceaux en plastique bon marché et posez-les dans l'herbe en les disposant de façons variées – par paires, serrés les uns contre les autres, alignés… Demandez à votre enfant de passer de l'un à l'autre en courant, en sautillant ou en marchant accroupi.

938 la carte du monde

Accrochez une carte du monde au mur de la chambre de votre enfant. À l'aide de punaises de couleur, signalez différents lieux : en rouge les endroits où habitent les membres de la famille, en vert les pays d'où viennent vos amis, en bleu les endroits dont il a entendu parler ou qu'il a vus dans un film. Regarder une carte peut lui paraître abstrait au début, mais il finira par acquérir des notions de géographie.

939 la chasse aux lettres

Pour passer le temps en voiture, demandez à votre enfant de chercher quelques lettres rares sur les panneaux que vous rencontrerez au cours de votre voyage.

940 observations météorologiques

Apprenez à votre enfant à reconnaître les signes qui, dans la tradition populaire, annoncent le temps à venir. Si le vent souffle au point de dévoiler le dessous des feuilles, c'est qu'il ne va pas tarder à pleuvoir. Si la lune est entourée d'un halo de lumière, un coup de froid n'est pas loin. Observez ces signes ensemble et vérifiez leur exactitude.

941 un océan à dévorer

Préparez un saladier rempli de gélatine teintée en bleu avec du colorant alimentaire. Mettez-le au réfrigérateur. Juste avant que la gélatine soit prise, disposez de petits poissons en sucre. Jetez une bouée – un bonbon en forme d'anneau – à la surface. Et vogue la galère !

942 exercice de jonglage

Donnez à votre enfant différents objets qu'il devra lancer en l'air, un par un, et rattraper au moment où ils retombent. Commencez par une chaussette, facile à lancer d'une main et à rattraper de l'autre. Donnez-lui ensuite un petit sac de haricots, puis une balle en mousse. Une fois qu'il sait « jongler » avec ces objets, proposez-lui de vraies balles.

943 les bâtonnets de sucre

Fabriquez ensemble vos propres bâtonnets de sucre candi. Versez 250 g de sucre et 250 ml d'eau dans une casserole. Portez à ébullition (opération réservée à un adulte) en remuant jusqu'à ce que le sucre soit dissous. Laissez refroidir et versez dans un grand bocal que vous recouvrirez d'un film plastique. Puis demandez à votre enfant de planter des bâtonnets en bois dans le film plastique. Ils doivent tremper dans le sucre sans toucher le fond ou les bords. Au bout d'une semaine environ, des cristaux de sucre commencent à se former sur les bâtonnets. Il pourra suivre leur croissance et, au bout d'une semaine, les retirer de leur support. À déguster comme des sucettes !

944 s'entraîner à écrire

Un enfant de cinq ans apprend à écrire une lettre à la fois. Encouragez-le à signer tous les dessins qu'il fait !

945 se grimer

Les fards pour le visage permettent à votre enfant de s'amuser en faisant semblant d'être quelqu'un ou quelque chose d'autre ; de rugir comme un tigre, de sourire comme un clown, faire le fou comme un chiot, ou juste être de toutes les couleurs.

946 le livre électronique

Certaines bibliothèques proposent des ouvrages numérisés à consulter en ligne (e-books) sur place ou chez vous. Votre enfant peut les écouter sur un ordinateur ou sur un lecteur MP3. (Veillez à ce que le volume sonore ne soit pas trop élevé.)

5+
ans

947 — savoir dire merci

Expliquez à votre enfant pourquoi c'est agréable d'entendre « merci » et encouragez-le à le dire chaque fois que c'est nécessaire. Jouez à compter avec lui ses oublis !

948 — une petite maison de poupée

Utilisez une petite boîte en carton ondulé qui servira à confectionner une maison à ciel ouvert pour les petites poupées ou les petites peluches. À l'aide d'un couteau, découpez vous-même des fenêtres et des portes. Pour la décoration, donnez à votre enfant feutres et crayons et laissez-le faire.

949 — un pot en serpentin

Malaxez un morceau d'argile pour former un long « serpent » mince. Montrez à votre enfant comment l'enrouler pour construire les parois du pot. Il peut laisser le serpentin apparent ou frotter doucement l'argile pour obtenir une surface lisse. S'il veut conserver son œuvre, choisissez une argile auto-durcissante.

950 — un petit déjeuner vite fait bien fait

Proposez à votre enfant de préparer lui-même un bon petit déjeuner (sous la surveillance d'un adulte, bien sûr). Confectionnez du pain perdu : faites-lui battre des œufs, du lait et un peu de sucre vanillé dans un saladier, puis tremper des tranches de pain dans ce mélange avant de les faire dorer à la poêle. Saupoudrez de sucre avant de déguster.

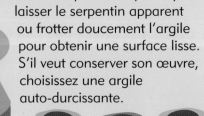

951 — une plaque à son nom

Achetez de l'argile polymère (Fimo) dans une boutique de loisirs créatifs. Aidez votre enfant à former un petit disque et à percer un petit trou au sommet pour le ruban. Au centre du disque, votre enfant pourra enfoncer des pâtes en forme de lettres de l'alphabet pour composer son prénom. Retirez les lettres et faites cuire l'argile.

952 — secrets

Les petits adorent entendre leurs parents parler de leur enfance (surtout de leurs bêtises). Par conséquent, n'hésitez pas à raconter vos souvenirs à votre enfant, et ne vous étonnez pas s'il vous redemande pour la dixième fois l'anecdote du chien que vous avez habillé !

953 les poissons volants

Demandez à votre enfant de découper plusieurs poissons de forme identique dans du papier épais, puis de les colorier et de les décorer. Lorsque la série est terminée, proposez-lui de les accrocher à une ficelle que vous suspendrez au plafond.

954 calque en relief

Montrez à votre enfant comment calquer par frottement des surfaces en relief à l'aide d'un crayon de couleur ou d'un crayon à pastel gras. Pour débuter, prenez une pièce de monnaie ou une clé. Vous le verrez bientôt chercher autour de lui tout ce qu'il pourrait calquer par frottement : une brique du mur, de l'écorce… Faites-en un jeu : il dessine et vous devinez !

955 une pochette en mousse

Pliez une fine plaque de mousse (vous en trouverez dans les boutiques de loisirs créatifs) en deux, percez des trous sur les côtés et aidez votre enfant à passer un ruban dans les trous pour former une couture. Il pourra ensuite l'accrocher.

956 la sauterelle

Montrez à votre enfant comment attraper (délicatement) une sauterelle. Examinez-la rapidement avant de la relâcher ou mettez-la dans une petite boite aérée pour quelques jours. Nourrissez-la avec de l'herbe. Observez sa tête minuscule et essayez de repérer les petits trous par lesquels elle respire et qui sont situés sur les côtés.

957 la magie du sel

Versez de la glace pilée et une poignée de sel dans un grand sac en plastique avec zip jusqu'à mi-hauteur. Remplissez un plus petit sac avec du jus de fruits. Mettez le petit sac fermé dans le grand et attachez le tout. Attendez un quart d'heure – le temps que la solution sel-glace fasse geler le jus de fruit – en secouant souvent. Ouvrez ensuite le petit sac et laissez votre enfant se régaler !

958 le puzzle des esquimaux

Placez huit bâtons d'esquimaux côte à côte. Demandez à votre enfant de coller une photo sur le support. Une fois que la colle est sèche, séparez les bâtons à l'aide d'un cutter (opération interdite aux enfants !). Mélangez-les et demandez-lui de reconstituer le puzzle.

959 tête de citrouille

Votre enfant peut décorer une citrouille de façon simple : coller des feuilles pour faire les cheveux, des marshmallows pour les yeux, des rangées de légumes secs pour simuler un sourire édenté, ou enfoncer une carotte (faites le trou) pour le nez. Il peut compléter le tout par des dessins au feutre non toxique.

960 le message invisible

Donnez à votre enfant un Coton-Tige, du jus de citron et une feuille de papier blanc. Demandez-lui d'écrire un message secret (ou de faire un dessin) avec le Coton-Tige après l'avoir trempé dans le jus de citron. Quand il est sec, faites apparaître le message (ou le dessin) invisible en repassant la feuille avec un fer chaud.

961 marionnettes pour les doigts

Coupez les doigts d'une vieille paire de gants en laine. Proposez à votre enfant de décorer chaque doigt avec des feutres et de la colle pour leur faire des oreilles, une queue, un visage, des écailles de dragon… Il peut utiliser tout ce qui lui tombe sous la main : feutrine, fil, sequins et boutons. Puis demandez-lui de vous faire un spectacle !

962 les cornets de gâteau

Posez des cornets à glace à fond plat dans un moule à muffins. Remplissez-les aux deux tiers de pâte à gâteau (au chocolat, par exemple).
Pour la cuisson, suivez la recette de votre gâteau. Quand les cônes sont froids, demandez à votre enfant de les saupoudrer de sucre glace !

963 un loto tout en photos

Aidez votre enfant à photographier des endroits intéressants dans votre ville (statues, caserne de pompiers, l'école). Confectionnez une planche de loto en collant les photos sur un morceau de carton blanc. Plastifiez-la pour qu'elle soit réutilisable. La prochaine fois qu'il passera devant l'un des endroits figurant sur la planche, il devra faire une croix à côté au feutre effaçable.

964 origami

Aidez votre enfant à s'exercer en réalisant des pliages simples. Achetez des feuilles de papier pour origami de plusieurs couleurs dans une boutique de loisirs créatifs ou donnez-lui tout simplement des carrés découpés dans du papier cadeau, ou même du papier blanc.

 Plier du papier et utiliser des ciseaux appropriés à son âge aide votre enfant à développer sa motricité fine.

968 charade en action

Votre enfant est encore un peu jeune pour les vraies charades (syllabe par syllabe), mais il est assez grand pour essayer de deviner un mot ou une expression. À tour de rôle, mimez des gestes de la vie quotidienne et essayez de deviner ce que l'autre est en train de faire. Imitez ensuite un animal que l'autre devra identifier : sautez comme une grenouille, galopez comme un cheval. Si ce jeu lui plaît, accentuez la difficulté et faites-lui deviner des personnages d'histoires qu'il connaît. Saura-t-il par exemple reconnaître le Petit Chaperon rouge qui traverse la forêt avec son panier sous le bras ? ou Blanche-Neige qui s'empoisonne en croquant une pomme ?

965 point par point

Observez ensemble des tableaux pointillistes, sur lesquels l'image est formée par une série de minuscules points, à la manière de Georges Seurat. Quand vous aurez bien étudié ce genre, proposez à votre enfant de faire un dessin au feutre en utilisant la même technique.

966 des comptines et des rimes

Les enfants de cinq ans adorent les rimes. Demandez au vôtre d'en trouver lui-même quelques-unes. Pour augmenter la difficulté, vous pouvez aussi lui demander, par exemple : « Qu'est-ce qui rime avec rond et commence par un p ? »

969 la leçon de dressage

Votre enfant sera ravi d'apprendre un nouveau tour au chien de la famille en le récompensant au fur et à mesure de ses progrès. S'il veut, par exemple, lui faire donner la patte, il doit commencer par dire : « La patte ! » et le récompenser par une petite friandise en le félicitant même si le chien se contente de s'asseoir. Peu à peu, il suffira qu'il dise : « La patte ! » pour que le chien la donne immédiatement. N'oubliez pas de féliciter vous aussi votre petit maître-chien !

967 sculpture sur glace

Un jour de canicule, donnez à votre enfant des cuillères et autres ustensiles de cuisine sans danger et laissez-le sculpter des blocs de glace que vous aurez fabriqués en mettant au congélateur des briques de lait (lavées) remplies d'eau.

970 devinettes sur les animaux

Pour développer l'esprit logique et les connaissances de votre enfant sur la nature, jouez au jeu des devinettes sur le thème des animaux. S'il ne trouve pas ou s'il se trompe, donnez-lui un nouvel indice. Par exemple :
« Cet animal vit en Afrique.
- C'est un zèbre ?
- Non. Il a des taches, pas des rayures.
- C'est une hyène ?
- Non. Il ressemble à un gros chat.
- C'est un léopard !
- Oui, gagné ! »

971 Jacques a dit

Profitez d'un jour où votre enfant a des petits invités pour leur apprendre à jouer à « Jacques a dit ». Les enfants doivent s'installer face au meneur (Jacques). Celui-ci doit donner un ordre simple, par exemple : « Sautez sur un pied » ou : « Tournez en rond. » Le meneur doit obligatoirement commencer sa phrase par : « Jacques a dit. » Les enfants qui obéissent à un ordre qui n'est pas précédé de ces mots doivent rester assis par terre et attendre la partie suivante. Le dernier enfant qui reste debout devient le meneur.

972 des chats en couleur

Découpez des formes de chats dans du papier Canson de couleur et déposez-les dans une boîte pas trop profonde. Demandez à votre enfant de tremper une grosse bille dans de la peinture et de la faire rouler sur les silhouettes de chats, en changeant de bille chaque fois qu'il change de couleur.

973 les perles de papier

Ensemble, créez des petits cylindres de papier cadeau ou de papier pour origami. Enfilez-les sur un long fil de laine : votre fille adorera ce collier fait maison !

974 jeune écrivain

Si votre enfant voit les autres membres de la famille écrire (lettres, rapports, devoirs d'école), il lui semblera naturel d'écrire lui aussi. Donnez-lui un joli cahier sur lequel il pourra s'entraîner à tracer les lettres de l'alphabet, à gribouiller et même à commencer à écrire quelques mots ou phrases simples.

975 un pizzaiolo à la maison

Montrez à votre enfant comment préparer de petites pizzas pour toute la famille. Sortez-lui une pâte à pizza à dérouler, un bocal de sauce tomate cuisinée, des billes de mozzarella et des dés de jambon. Demandez-lui de découper plusieurs petits cercles de pâte qu'il garnira. Enfournez les pizzas vous-même et sortez-les lorsqu'elles sont bien dorées.

976 chorégraphie improvisée

Mettez de la musique qui « bouge » et encouragez votre enfant à se lâcher un peu. Déhanchez-vous tant que vous voulez, mais restez à proximité de la chaîne hi-fi de manière à pouvoir appuyer sur la touche « pause » au moment où il ne s'y attend pas. Criez alors : « Stop ! » Il doit s'arrêter immédiatement et se figer sur place avant que vous remettiez la musique.

977 un jardin miniature

Un bocal muni d'une large ouverture peut facilement se transformer en mini-jardin pour la maison. Avec votre enfant, tapissez le fond de petits cailloux, recouvrez-les de terreau et plantez-y des boutures de fougère, de lierre ou de petites plantes grasses. Confiez-lui l'arrosage et la surveillance des plantes.

978 une pieuvre en banane

Aidez votre enfant à découper huit fentes dans le bas de la peau avec des ciseaux de cuisine. Montrez-lui comment retirer la peau de banane jusqu'à mi-hauteur pour former les « tentacules ». Demandez-lui de couper le fruit qui dépasse avec un couteau à tartiner et de le manger. Faites-lui poser le reste de la banane à la verticale, en étalant bien les tentacules tout autour. Pour faire les yeux, utilisez des raisins secs.

979 une aide précieuse

Quand on a cinq ans, pouvoir aider aux différentes tâches de la maison procure une immense satisfaction. N'hésitez pas à en confier quelques-unes à votre enfant. Proposez-lui quelque chose de facile, mais qui développe son agilité, comme plier le linge propre.

5+
ans

980 encadrement

Demandez à votre enfant de peindre un tableau sur du carton en ménageant un espace tout autour. Il peut ensuite remplir cet espace en y collant ce qu'il veut pour créer un cadre : carrés de mosaïque, coquillages ou autres trésors.

981 exploration des fonds

Équipez-vous d'un petit filet à crevettes et d'un seau puis prenez le chemin de la plage ou de l'étang. Plongez votre filet dans l'eau et regardez tout ce que vous avez remonté du fond avant de le remettre rapidement dans l'eau.

982 le temps d'une comptine

Les enfants adorent les comptines et les poèmes loufoques, surtout s'ils racontent une histoire. Cherchez dans votre bibliothèque (ou chez le libraire) des poèmes classiques à lire et à savourer ensemble. On trouve de magnifiques textes pour les enfants de cet âge, par exemple chez Lewis Carroll.

983 recette en images

Demandez à votre enfant de réunir dans plusieurs petits bocaux les ingrédients nécessaires à la fabrication de cookies : pépites de chocolat, farine, levure, sucre roux... Et demandez-lui de dessiner chaque ingrédient sur l'étiquette correspondante.

984 jouer aux échecs

Si votre enfant vous voit jouer aux échecs, il y a des chances pour que le jeu le fascine, lui aussi. Commencez par lui expliquer peu à peu comment bougent les pions sur l'échiquier, et vous serez étonnés de la vitesse à laquelle il comprendra les règles du jeu.

985 un livre de grand

Même si votre enfant continue à adorer les livres pour les petits, commencez à lui lire des ouvrages comportant plusieurs chapitres et plus de texte. Il aura toujours plaisir à suivre l'histoire. Installez-vous contre lui et lisez-lui un chapitre en lui montrant les images et en suivant du doigt les mots simples qui reviennent souvent dans le texte.

Avec des coussins et des couvertures, préparez un coin confortable et bien éclairé où votre enfant pourra lire et rêver.

986 créateur de BD

Dessinez ou imprimez plusieurs grands cadres sur du papier vierge. Montrez ensuite à votre enfant comment créer sa propre bande dessinée. Il peut commencer par remplir de dessins ou de collages les cadres que vous avez tracés sans qu'il y ait de liens entre eux. Petit à petit, il finira par inventer une histoire qu'il racontera étape par étape.

987 un papillon plus vrai que nature

Proposez à votre enfant de suivre un papillon (de loin, pour ne pas l'effrayer) dans votre jardin. Commentez ce que le papillon fait. Quel genre de fleurs aime-t-il ? Peut-être pourriez-vous en cultiver davantage dans votre jardin pour attirer plus de papillons ? Une fois rentré à la maison, votre enfant peut recréer cet insecte qu'il a appris à mieux connaître. Faites-lui plier une feuille de papier Canson en deux, découper les ailes déployées du papillon, puis déplier le papier. Il peut ensuite appliquer de la gouache. Une fois que la peinture aura séché, il aura un magnifique papillon à accrocher au mur.

988 le gentil serpent

Donnez de la laine à votre enfant dont la couleur évoque pour lui un serpent et faites-lui « tricoter » un serpent à l'aide d'un tricotin (voir activité 258). Dès que la longueur lui convient, cousez deux petits boutons à l'une des extrémités pour faire les yeux. Ce serpent-là ne risquera pas de le mordre !

989 le jeu des photos

Demandez à votre enfant de découper des photos de produits dans des dépliants publicitaires. Lorsque vous l'emmenez au supermarché, prenez les photos et demandez-lui de regarder s'il voit les articles au fur et à mesure que vous passez devant.

990 le blason de la famille

Dessinez un grand blason sur du papier rigide et demandez à votre enfant de tracer des lignes pour le diviser en trois ou quatre parties. Suggérez-lui de représenter dans chaque case les activités préférées des membres de la famille. Puis aidez-le à trouver une devise — par exemple, une phrase fréquemment prononcée à la maison.

991 les dominos

Les enfants de cinq ans adorent jouer aux dominos. Le jeu est assez simple et c'est un bon moyen d'apprendre à attendre son tour, à compter des groupes d'objets en un seul coup d'œil, à reconnaître des motifs et à élaborer une stratégie pour gagner. Quand la partie est finie, on peut même se servir des dominos pour faire des constructions !

5+
ans

992 pâtisserie à deux

Demandez à votre enfant de vous aider à faire des petits sablés : ensemble, pesez les ingrédients, mélangez-les et étalez la pâte sur le plan de travail. Faites-lui découper la pâte suivant la forme qu'il veut ou donnez-lui des emporte-pièces en forme de cœur, nounours, étoile… Badigeonnez les sablés au pinceau avec un mélange d'eau et de jaune d'œuf et saupoudrez-les d'un peu de sucre. Enfournez et laissez cuire jusqu'à ce qu'ils soient dorés.

993 le train de la rentrée

C'est la rentrée ? Proposez à votre enfant de créer un petit train de papier, avec de la colle et des ciseaux, comportant autant de wagons que d'enfants dans sa classe. Il pourra dessiner chaque enfant sur un wagon pour vous les présenter. Le soir, en vous racontant sa journée, il sera très content de vous montrer le portrait de celui ou de celle avec qui il a joué à la récré.

994 un dessin les yeux fermés

Proposez à votre enfant de tracer le yeux fermés un cercle ou une forme géométrique d'un seul mouvement, sans enfoncer la pointe dans le papier ni soulever le crayon. Essayez vous aussi !

995 un kit pour peindre n'importe où

Préparez un kit transportable pour votre artiste en herbe. Mettez dans un petit sac à dos un carnet de croquis, une boîte de peinture à l'eau, des pinceaux, une gomme et un crayon noir, une petite bouteille d'eau et un gobelet en plastique. Il sera ainsi paré pour entreprendre une expédition dans les bois, sur la plage… au jardin.

996 encore une chasse aux trésors

Prenez des photos d'objets un peu partout dans la maison : un fauteuil dans la véranda, une plante en pot sur le rebord de la fenêtre, le nounours en train de dormir sur son lit. Puis organisez une chasse aux trésors en donnant à votre enfant les photos comme indices.

997 animaux de papier

Montrez à votre enfant comment fabriquer un cochon, un chat ou un dinosaure avec des feuilles de papier, de la colle et des ciseaux. Lorsque vous en avez conçu une dizaine, collez-les sur une grande feuille frise de couleur.

998 observez le ciel

Regardez avec votre enfant des cartes du ciel et feuilletez des ouvrages pour enfants qui parlent d'astronomie. Expliquez-lui que la Lune passe par quatre phases tous les mois. Aidez-le à repérer et à suivre une constellation facile à voir, comme Orion ou la Grande Ourse.

999 dans les arbres

Cherchez un arbre dont les branches soient assez basses et suffisamment solides. Veillez à ce que votre enfant porte une tenue adaptée : des vêtements sans cordon ni cagoule. Fixez-lui une hauteur à ne pas dépasser et restez à côté de lui.

1000 des fantômes en chocolat

Faites fondre du chocolat blanc au bain-marie (opération réservée aux adultes). Versez le chocolat fondu dans un grand sac en plastique de type Ziploc. Une fois que le chocolat est assez froid pour pouvoir être manipulé sans danger, découpez une petite ouverture dans l'un des coins, puis montrez à votre enfant comment faire sortir le chocolat et dessiner des silhouettes de fantômes sur du papier cuisson. Pendant que le chocolat est encore mou, il peut utiliser des pépites de chocolat noir pour former les yeux. Quand les fantômes ont bien refroidi, emballez-les individuellement dans un film plastique et rangez-les dans un endroit frais.

5+
ans

1001 tenues de camouflage

Au zoo, cherchez les animaux dont la robe est une tenue de camouflage. Faites réfléchir votre enfant : les rayures, les taches et autres marques de couleur permettent-elles aux animaux de se cacher dans leur milieu naturel ?

index

Également disponibles :

365 activités avec mon bébé (0-1 an)
365 activités avec mon tout-petit (1-3 ans)
365 activités avec mon enfant (3-5 ans)

L'association Gymboree propose des activités
d'éveil et de jeu parents-enfants axées
sur la motricité et la musique.
Recommandée par des spécialistes de la petite
enfance, née aux États-Unis et mondialement
reconnue, Gymboree compte un nombre croissant
de centres en France.

Pour plus de renseignements :
www.gymboree-france.com

© Weldon Owen pour l'édition originale parue en langue anglaise
sous le titre *Play and Learn*.

© Nathan 2009 pour la présente édition en langue française.
ISBN : 978-2-09-278291-0
N° d'éditeur : 1015 26 24
Dépôt légal : février 2009

Imprimé en Chine

www.nathan.fr
www.grandiravecnathan.com